물리라는 안경, 그래서 보이는 것들

물리라는 안경, 그래서 보이는 것들

제갈은성

반향서제

제 나이 20대 중반, 물리학 박사과정을 위해 유학을 시작한지 1-2년쯤 지났을 무렵일 겁니다. 당시 저의 가장 큰 관심사는 뜻밖에도 종교였습니다. 불교, 기독교, 힌두교 종파를 불문하고 골고루 기웃거렸던 기억이 있네요. 과학 논문에 파묻혀 숫자와 씨름하고 있어도 모자랄 시간에 종교라니……. 하지만 저는 그것을 더 빨리 알지 못한 것이 아쉬울 뿐 다시 돌아가도 같은 선택을 할 겁니다.

왜냐고요? 사실 학위도 그 덕에 받았거든요.

모든 일이 그렇겠지만 물리학자가 되는 과정도 쉽지는 않았습니다. 몇 달 동안 밤을 새며 했던 실험이 물거품이 되기도 했고, 자신했던 논문이 개제 거절되기도 했습니다. 그럴 때마다 일상은 바닥까지 곤두박질쳤고, 다시 정신을 차리기까지는 꽤 오랜 시간이 걸렸습니다. 하지만 똑같이 과학자의 길을 걸으면서도 전혀 다른 태도를 가지는 이들도 있었는데, 바로 깊은 신앙심을 가진 사람들이었습니다.

"하느님이 다른 곳에 나를 쓰시려는 모양이야."

"부처님이 더 나은 길로 인도 해주시려보다."

이렇듯 신을 믿는 사람들은 회복이 빨랐습니다. 저는 그들의 태도를 배우고 싶어 종교를 공부했습니다. 덕분에 주어진 상황을 받아드리고 나아가는 방법을 알게 되었으나 그렇다고 수녀가 되거나 비구니가 되지는 않았습니다. 책꽂이에 성경, 금강경 그리고 힌두교 경전 베다가 나란히 꽂혀있지만 말이죠.

이 책을 읽는 여러분들도 물리학자가 될 필요는 없습니다. 다만 물리학자들은 어떤 태도를 지녔는지, 어떤 시선을 가졌는지를 배움으로써 지금보다 다채로운 삶을 맞이할 수 있으면 좋겠습니다.

나의 태도는 얼마나 과학적인가
*성향이 강할수록 높은 점수에 체크

	1	2	3	4	5	6	7	8	9	10
호기심										
개방성										
비판성										
협동성										
자진성										
끈기										
창의성										
객관성										
정직성										
판단의 유보										

1. 호기심 : 자기 주변의 현상에 대하여 스스로 의문을 가지고 질문에 답하려고 하는 자세를 말한다. 특히 자연세계에 대해 알고 이해하고자 하는 태도가 과학적 호기심이다.

2. 개방성 : 새롭게 밝혀진 근거에 따라서 자신의 주장을 변경할 수 있는 태도이다.

3. 비판성 : 어떤 사실이나 견해를 그대로 받아들이지 않고 옳고 그름을 하나하나 점검해 보고 비평해 보면서 판단하는 태도를 말한다.

4. 협동성 : 공동연구를 통해 아이디어를 창출하고 발전시키면서 함께 과제를 수행해나가는 태도이다. 공동연구를 진행할 때 서로 도움을 요청하고, 자신의 역할만 잘 수행하는 것이 아닌 공동의 목표를 달성하기 위해 서로 도움을 줄 수 있는 태도이다.

5. 자진성 : 자기 스스로 발표하고 참여하며 과학 활동에 적극적으로 참여하는 태도를 말한다.

6. 끈기성 : 해결되지 않는 문제를 포기하지 않고 지속적으로 해결하려고 노력하는 태도이다.

7. 창의성 : 어떤 문제를 해결할 때 새로운 통찰과 독특한 사고를 산출하는 과정을 거쳐 기존의 것과는 다른 새로운 아이디어나 형태, 양식 및 해결방안 등을 산출해 내는 능력을 말한다.

8. 객관성 : 자신의 주관적인 생각이나 가설에만 치우치지 않으며, 결론을 내기 전에 가능한 많은 자료들을 수집하고 정확한 실험 결과만을 근거로 결론을 내리려는 태도이다.

9. 정직성 : 자신이 수행한 실험의 결과나 연구 내용을 왜곡하거나 조작하여 도덕적으로 문제를 일으키지 않고 정확하게 발표하려는 자세를 말한다.

10. 판단의 유보 : 과학을 수행할 때 자료가 충분하지 못하거나 결과가 부정확하게 나올 경우, 충분한 자료를 수집하고 정확한 결과가 나올 때까지 판단을 유보하는 태도를 말한다.

나의 점수:

0-30 : 과학자들이 전혀 다른 세상에 살고 있는 것은 아닙니다. 그들의 자세를 조금만 따라 해봐도 세상이 달리 보일 겁니다.

31-50 : 이제 시작입니다. 모든 사람이 과학자가 될 필요는 없지만 그들이 어떤 삶의 태도를 지녔는지 배우고, 자신의 삶에도 적용시켜보세요.

51-70 : 과학적인 과제를 해결함에 있어서 마무리가 아쉬운 답답함이 있었을 것 같습니다. 하지만 걱정마세요. 인간은 의식하는 순간 발전하니까요.

71-90 : 존경받는 과학자들이 가진 자세를 이미 많이 갖추고 있습니다. 조금씩만 더 발전시켜보세요.

91-100 : 혹시 이미 과학자의 길을 가고 계신가요? 이공계가 원하는 인재상이네요.

차 례

1장

나는 물리랑 결혼한다.

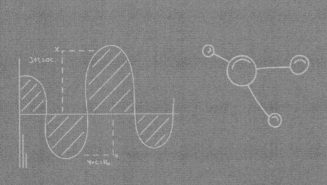

물리학은 글자 뜻 그대로 만물의 이치를 탐구하는 학문입니다. 자연에 대한 근본적인 원리와 이를 바탕으로 한 모든 자연현상은 물리학을 통해 설명된다고 해도 무방 할겁니다. 그것만으로도 물리학은 누군가의 호기심을 불러일으키기에 충분하다고 생각합니다. 저는 본인뿐만 아니라 존재하는 모든 것에는 이유가 있고, 일어나는 모든 현상의 이유를 파악하는 것이 곧 세상의 이치를 아는 것이라고 생각해 물리학을 전공하게 되었습니다. 이제와 생각하면 부끄럽지만 한동안은 물리학이면 충분하다 생각했던 적도 있었네요. 하지만 오히려 물리학을 탐구하는 과정에서 자연스럽게 다방면으로의 시야가 넓어졌습니다. 예를 들어 만물은 원자로 돼 있고, 물리학에서는 그 원자를 다룹니다. 하지만 원자가 모여 어떻게 결합하는지를 알기 위해서는 원자들의 모임인 분자를 알아야 합니다. 그리고 분자를 이해하기 위해서는 화학도 필요하죠. 또한 분자로 구성된 생물을 이해하려면 생명과학을 알아야 합니다. 그 생물체들이 이뤄낸 사회를 이해하는 데에는 인문학도 필수겠네요. 이처럼 진정 물리학을 통해 세상을 이해하려면 그것을 넘어선 다양한 학문의 도움이 필요하더군요. 그래서 인지 저명한 물리학자 중에서는 팔색조가 많습니다. 리처드 파인만 (Richard Feynman)의 경우 노벨 물리학상을 수상할 정도로 물리학계의 대가였지만 악기 연주, 춤추기, 마야 문자 해독, 심지어 금고 따기도 잘했다고 알려져 있습니다. 지동설을 주장한 니콜라스 코페르니쿠스(Nicolaus Copernicus)는 그림을 그리고 시를 번역했습니다. 갈릴레오 갈릴레이(Galileo Galilei)는 10대 시절에 미술가가 되려고 했고 일생동안 시를 썼죠. 현대 천문학을 태동시킨 요하네스 케플러(Johannes Kepler)는 음악가이자 작곡가였고, 저온 살균법으로 잘 알려진 루이 파스퇴르(Louis Pasteur)는 재능 있는 화가였습니다.

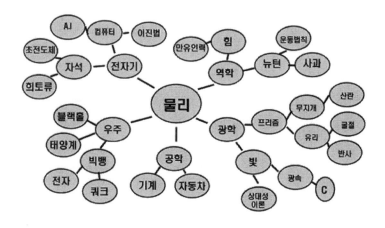

물리 마인드맵

물리가 누군데?

물리학은 차가운 학문입니다. 보편적 법칙으로 만물의 이치를 설명하려는 융통성 없는 모습이 진합니다. 그러한 물리 법칙에서 인간적인 감정을 찾기란 더더욱 쉽지 않죠. 하지만 이런 문장은 어떨까요?

"우주는 텅 비어 있다. 지구가 모래 알갱이만 하다고 가정해보자. 태양은 오렌지 크기가 되고 지구는 태양에서 6m 거리에 위치한다. 태양에서 가장 가까운 첫 번째 별인 알파 센터우리*에 도착하려면 부산역에서 일본 홋카이도 북쪽 끝까지 가야 한다. 부산역을 중심으로 반경 1600 km 이내에 오렌지 한 개랑 모래 알갱이 몇 개 말고는 아무것도 없는 셈이다. 따라서 주변에 물질이라 부를 만한 것을 발견한다면 그 자체로 기뻐해야 한다. 생명체는 지구에서만 발견되는 아주 특별한 물질이다. 내 주위에 생명체가 있다면 이것은 놀라워해야 할 일이다. 더구나 그 수많은 생명체 가운데 나와 같은 종(種)을 만나는 것은 기적에 가깝다. 다른 인간을 사랑해야만 하는 우주적 이유다."

한 드라마덕분에 유명해진 꽤 감성적인 시 한편도 소개해보겠습니다.

---

* 태양계에서 센타우루스자리 방향으로 4.37 광년 거리에 있는 항성계이다. 이 계는 태양계에서 가장 가까운 항성계이자 행성계이다.

질량의 크기는 부피와 비례하지 않는다.

제비꽃같이 조그마한 그 계집애가

꽃잎같이 하늘거리는 그 계집애가

지구보다 더 큰 질량으로 나를 끌어당긴다.

순간, 나는

뉴턴의 사과처럼

사정없이 그녀에게로 굴러 떨어졌다

쿵 소리를 내며, 쿵쿵 소리를 내며

심장이

하늘에서 땅까지

아찔한 진자운동을 계속하였다

첫사랑이었다.

-사랑의 물리학, 김인육-

냉정과 열정, 이성과 감성을 모두 갖춘, 이것이 제가 사랑에 빠진 물리라는 학문입니다.

물리랑 결혼해도 될까?

"힘내라!"

대학시절 오랜만에 연락한 친구에게 물리학과를 다닌다고 하니 돌아온 답장입니다. 공부가 어렵거나 학교생활이 힘들다고 하지도 않았는데 힘내라는 응원을 들었죠. 그 뒤에 답변을 더 이어가지 않을 걸보면 기분이 썩 좋지만은 않았던 거 같습니다. 당시 친구들은 학과 전망과 취업률을 생각하여 자연대 진학을 꺼리는 분위기였고, 물리학과에 지원한 저에게는 "힘들겠다."라는 말을 하곤 했습니다. 그런데물리학을 전공으로 삼아 대학과 대학원까지 다 졸업하고 되돌아보니가만있던 물리는 참 억울했겠다 싶습니다.

학창 시절, 저는 영화와 드라마를 즐겨봤습니다. 특히 〈해리포터〉나 〈셜록 홈즈〉처럼 상상력을 자극하는 작품은 수십 번 돌려본 거 같네요. 그러던 어느 날 알버트 아인슈타인(Albert Einstein)의 삶을 그려낸 드라마인 〈지니어스〉를 보게 되었을 땐 마치 어디론가 빨려드는 감정을 느꼈습니다.

"공이 더 먼 우주에서 움직이는 것을 상상했어요. 그곳에는 항성*
도 행성**도 없죠. 가속도란 시간에 따라 속도가 변하는 정도를 의미하잖아요? 공이 움직이고 있다는 걸 어떻게 알 수 있죠? 움직임을

---

* 막대한 양의 플라스마가 중력으로 뭉쳐서 밝게 빛나는 납작한 회전타원체형의 천체이다.

** 우주에서 항성의 둘레를 도는 천체의 한 부류이다.

비교할 대상이 없잖아요. 바꿔 말하면, 시간은 무엇인가요? 같은 맥락에서 공간은 무엇일까요?"

아인슈타인이 뉴턴 역학을 배우면서 교수에게 던진 질문입니다. 처음 이 장면을 봤을 땐, 온몸에 전율이 흘렀고 심장이 뛰고 있다는 것을 느낄 수 있었습니다. 우리의 삶과 절대 떨어뜨릴 수 없는 시간과 공간에 대한 근본적인 의문이라니…….

친구와 약속을 잡는 모습을 상상해봅시다. 아마 "몇 시 몇 분 어디서 만나자"는 이야기가 오고 갈 겁니다. 하지만 그러한 생활을 하면서도 단 한 번도 시간과 공간에 의구심을 갖고, 이것들이 무엇인지 생각해 본 적이 없었던 겁니다. 그래서인지 아인슈타인의 질문이 더욱 날카롭게 다가왔습니다.

이처럼 물리란 알게 모르게 우리 생활 속 아주 깊숙이 스며들어 있습니다. 좀 더 기술적인 예시로는 컴퓨터를 들 수도 있겠네요. 컴퓨터를 만들기 위해서는 이를 구성하는 중앙처리장치(cpu), 냉각기, 모니터, 스피커 등 다양한 장치들이 필요하죠. 그리고 그 장치들은 물리학의 한 분야인 전자기학이 발달함에 따라 생겨났습니다. 뿐만 아니라 길을 알려주는 내비게이션 안에도 상대성 이론이 숨어있다는 것을 아시나요? 내비게이션이 실시간으로 빠르고 정확하게 길을 안내할 수 있는 것은 범지구위치결정시스템(GPS: Global Positioning

System)* 위성 덕분입니다. GPS 위성이 보내는 신호를 내비게이션이 받아, 사용자의 현재 위치를 계산하는 것이죠. 그리고 이 GPS 위성은 고도 약 2만 km 상공에서 지구를 돌고 있습니다. 2만 km 정도의 고도에서는 중력이 지상의 1/4에 불과한데, 중력이 약할수록 시간은 빨리 흘러갑니다. 따라서 GPS 위성에서의 시간은 지구에서보다 매일 백만분의 38초 빠릅니다. 매우 짧은 시간이지만 이를 바로잡지 않으면 지상에서는 수 km 정도의 위치 차이가 납니다. 이런 점을 상대성 이론으로 보완해 GPS가 차량의 정확한 위치를 파악하는 겁니다.

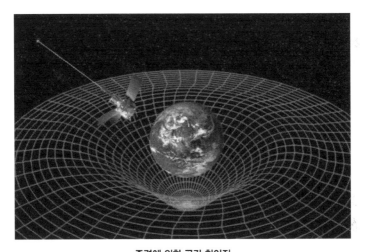

중력에 의한 공간 휘어짐
그림출처: Geodesic Effect(Nasa, public domain), Wikimedia Commons

---

* 미국 국방부에서 개발하였고 세계 어느 곳에서든 3대 이상의 인공위성에서 신호를 받아, 각자의 단말기에서 수학적으로 잘 짜여진 알고리즘을 수행한다. 최대 초당 50번씩 자신의 위치를 정확히 알아낼 수 있게끔 고안된 위성항법 체계이다.

예시들이 너무 딱딱한듯하니 디즈니 애니메이션 〈모아나〉 이야기도 한번 해보겠습니다. 이 영화는 주인공인 모아나가 저주에 걸린 섬을 구하기 위해 항해를 떠나는 이야기입니다. 영화의 전체적인 배경이 바다이므로 영화 제작에 있어서 파도의 움직임, 물의 움직임은 큰 비중을 차지하고 있죠. 만약 강한 바람이 부는 장면인데 바다가 잔잔하다면 어떨까요? 장면이 이상하다는 것이 눈에 걸려 영화에 몰입하기 힘들 것입니다. 우리는 이미 평소에 손을 씻을 때, 물을 마실 때, 물총놀이를 할 때 등의 상황에서 물이 어떻게 움직이는지 봐왔기 때문입니다.

따라서 관객이 영화에 몰입할 수 있도록, 즉 영화의 질을 높이기 위해서는 실제와 매우 유사한 컴퓨터 그래픽 작업이 필요합니다. 이때 점성을 가진 유체에 대한 물리학 방정식인 '나비에-스토크스 방정식*'이 사용됩니다. 간단하게 이야기하자면 물의 움직임을 수식으로 정리했다는 말입니다. 물리에서 이 움직임을 이미 수식화 해둔 덕분에 우리는 간편하고 정확하게 컴퓨터 그래픽 작업을 할 수 있습니다. 만약 물리학이 없었다면 실제와 비슷하게 만들기 위해 더욱 복잡한 방법으로 많은 시간을 투자해야 했겠죠.

---

* 나비에-스토크스 방정식(Navier-Stokes equations)은 점성을 가진 유체의 운동을 기술하는 비선형 편미분방정식이다. 클로드 루이 나비에와 조지 가브리엘 스토크스가 처음 소개하였다. 날씨 모델, 해류, 관에서 유체흐름, 날개주변의 유체흐름 그리고 은하안에서 별들의 움직임을 설명하는 데 쓰일 수 있으며 실제로 항공기나 자동차 설계, 혈관내의 혈류, 오염물질의 확산 등을 연구하는데 사용되고 있다.

모아나 애니메이션 일부
그림출처: 영화 '모아나'

이처럼 큰 존재감을 드러내지 않으면서도 모든 곳에 스며있다는 점을 보면 물리학은 마치 들꽃 같습니다. 어쩌면 장미꽃처럼 화려하지 않아서 인기가 없는지도 모르겠네요. 하지만 어른들께 한번 여쭤봅시다. "장미 같은 사람과 결혼할까요? 들꽃 같은 사람과 결혼할까요?"

물리, 결혼은 못해도 친구는 합시다.

「의과대학 1학년 교실에서 물리학 교수님이 어려운 개념을 강의하고 있었다. 그러자 한 의예과 학생이 건방지게 끼어들며 물었다. "왜 이런 것들을 배워야 하죠? 난 의예과 학생이란 말예요. 앞으로 이런 건 필요도 없을 텐데요." 교수가 대답했다. "의대생들도 생명을 살리기 위해 물리학을 배워야 하네." 학생이 다시 물었다. "그래요? 그럼 어떻게 물리학이 생명을 구한다는 거죠?" 교수님이 다시 대답했다. "멍청한 놈들이 의대 본과로 올라가는 걸 막아주기 때문이지."」

물리학을 바라보는 시선에 대한 블랙유머입니다. 이런 농담이 돌아다니는 걸 보면 똑똑한 의예과 학생들에게도 물리학은 영 만만치 않은가 봅니다.

물론 위 교수님의 대답은 당연히 농담이었을 겁니다. 그렇다면 의대에서 물리를 가르치는 진짜 이유는 무엇일까요? 또한 문과학생들이나 과학 관련 직업을 갖지 않은 사람들에겐 물리교육이 왜 필요할까요?

오늘날 과학은 상당히 첨단화되어있습니다. 대부분의 사람들은 과학의 이름으로 서술된 것들이라면 별 의심 없이 받아들이고 있죠. 덕분에 과학 이론으로 정립된 법칙이나 수식 등은 그 자체로써 신뢰를 보장 받습니다. 뉴턴방정식은 $F=ma$이고 열역학 1법칙은 $Q=W+\triangle U$로 서술되며, 물의 분자식은 의심의 여지없이 H_2O입니다. 하지만 우리가 과학을 배우는 이유는 이와 같은 결과적 지식을 암기하기 위함이 아닙니다. 로이 바스카(Roy Bhaskar)의 표현을 빌려 과학을 묘사 한다면, 과학은 한 현상에서 그 현상을 발생 시킨 어떤 것을 찾아 나가는 활동입니다. 우리는 이러한 과학을 공부하면서 일상에서 맞닥뜨리는 문제를 논리적이고 체계적으로 해결하는 능력을 배양할 수 있습니다. DNA이중나선 구조를 발견한 제임스 왓슨(James D. Watson) 또한 '왜'를 아는 것이 '무엇'을 아는 것보다 중요하다 밝힌 바 있죠.

위에서 언급한 의과대학 교실로 다시 돌아가 봅시다. 의사가 가져야할 역량은 그저 '폐에 2cm가량의 악성종양이 있다.'를 밝혀내는 것이 아닙니다. 이 종양이 왜 생겼고, 언제 생겼으며, 어떻게 치료할 것인지를 판단하고 더 나아가 환자가 남은 생을 건강히 살아갈 수 있게 이끌어주는 것이 진정한 의사의 역할입니다. 만약 환자가 피를 토하며 응급실로 들어왔다면 의사의 역할을 더욱 극대화됩니다. 목숨이 걸린 판단을 초단위로 내려야하니까요. 이것이 의과대학에도 물리수업이 필요한 이유입니다.

아, 실제로 독일과 스위스를 비롯해 유럽의 많은 국가에서는 인문계열로 대학에 입학한 학생들에게도 과학과목을 일정학점 이상 이수할 것을 요구합니다. 이러한 정책 때문에 제가 재학하던 공대의 기초과학 수업에는 이웃 대학의 청강생들이 꽤 많았습니다. 2년차에 조교가 되었을 땐 '문과청강생'들의 높은 과학지식 수준에 놀라기도 했었습니다. 사실 한국이든 유럽이든 대학생은 대학생이라 (모든 것에 불만이 많은 집단이죠) 대학에 오면 지긋지긋한 수학, 과학은 이제 끝이라는 기대했던 문과성향의 학생들을 상대로 수업을 진행하는 건 쉽지 않았습니다. 이 때문에 실제로 고역을 겪은 적도 있습니다. 대학교육은 안정적인 커리어를 위한 실용교육이어야 한다며 집단행동을 했거든요. 하지만 세상의 풍파를 정면으로 헤쳐 나가는 사회인이 되기 전에 이성적으로 사고할 수 있는 방법들을 배우는 것은 직접적인 직업교육은 아니더라도 반드시 필요하다는 총장의 강력한 발언은 모두가 수긍할 수밖에 없었습니다.

또한 제가 대학생 때는 막연히 정치인들도 물리를 배울 필요가 있겠다고 생각한 계기도 있었습니다. 교통체증이 심각한 수도권을 중심으로 자전거도로 건설이 한창이었고, 정책적으로 '공무원 자전거 타기 운동' 등이 확산할 무렵의 일입니다. 서울 한강에 있는 몇 개의 대교에 완공된 자전거 도로를 보며 물리학과 학생이었던 저와 몇 명의 동기들은 "왜 저렇게 만들었을까?"라는 말을 동시에 내뱉었습니다. 자동차 도로 옆에 자전거 도로가 만들어져있었고 그 옆에는 인도가 나란히 붙어있는, 어찌 보면 지극히 정상적인 모습이었으나 실제로 며칠 간격으로 큰 사고가 연이어 발생했으니 우리의 우려가 맞았던 것이죠. 이는 베르누이 법칙을 고려하지 못한 무지에서 비롯된 결과였습니다. 베르누이 법칙은 유체의 속도와 압력에 관한 법칙인데, 유체가 빨리 흐르면 압력이 낮아지고, 반대로 천천히 흐를 때 압력이 커진다는 내용입니다. 즉, 빠르게 달리는 자동차도로는 압력이 낮아지고, 비교적 느린 자전거 도로는 압력이 높아지니 자전거가 자동차 쪽으로 쏠려 넘어질 확률이 커지는 것입니다. 실제로 그런 일들이 현실로 나타났고요. 자전거 도로와 관련된 정책을 운영하던 사람들 중 누구라도 물리에 대한 소양이 있었다면 아마 일어나지 않았을 사고였겠죠.

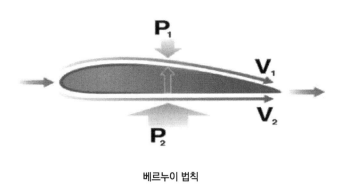

베르누이 법칙

논어를 보면 익자삼우(益子三友)라는 사자성어가 나옵니다. 사귀어서 도움이 되는 세 가지 벗이라는 뜻입니다. 책에서는 강직하고, 믿음직하고, 박식한 사람을 친구로 사귀라 가르칩니다. 저는 이 글을 보자마자 물리를 떠올렸습니다. 틀렸을 땐 거침없이 오류를 지적할 만큼 강직하고, 모든 것을 수식과 숫자로 표현하니 이보다 믿음직할 수가 없고, 세상 만물을 설명하는 박식함을 갖추었으니 친구 삼지 않을 이유가 없죠.

부록: 물리랑 친구된 사람들

1) 리처드 파인만 (Richard Phillips Feynman)

파인만은 양자전기역학[*]이라는 듣기만 해도 어질어질한 분야에서 공로를 인정받아 노벨상을 받았습니다. 그런데 신이 나서 감사하며 노벨상을 받은 것이 아니라 거절하면 더 골치 아파질 것 같아 마지못해 수상을 허락했다고 합니다.

파인만은 "발견의 기쁨, 발견의 흥분"이라는 상을 이미 받았다고 했습니다. 이보다 멋진 말이 또 있을까 싶습니다.

노벨상을 주겠다는 노벨위원회에게 누구마음대로 수상자를 선정하느냐며 투덜거리는 괴짜 과학자 파인만, 그는 누구보다 자유로운 인생관을 가진 사람이었습니다. 또한 그는 인생의 다양한 모습을 마음껏 즐기는 사람이기도 했습니다.

물리학은 물론이고 봉고 연주도 했고, 친구인 화가에게 그림도 배웠습니다. 온갖 기계장치, 다른 과학 분야(생물학 등), 그냥 놀기 등 파인만이 즐기는 분야는 진정 다채롭다 할 수 있었는데 이 모든 동기는 '재미'였습니다.

"나는 남들이 희한하다고 여기는 것을 해보고 싶었습니다. 재미있는 게 아주 많았어요. 솔직히 말해 저도 제 자신을 모르며, 어떤 게 저한테 왜 즐거운지 모릅니다. 알려고 하지도 않아요. 즐거우면 즐기면 되지 남한테 설명할 필요는 없죠. 하고 싶은 걸 할 뿐, 개의치 않아요. 신경 쓰지 않죠! 그냥 재미로 합니다. 재미는 정의내릴 수가 없죠. 사람마다 재미있는 게 다르니까요."

---

[*] 고전 전자기학을 양자화하여 얻는 이론이다. 가장 간단한 형태로는 전하를 가진 디랙 입자와 광자의 상호작용을 다룬다. 표준 모형의 일부이며, 현재 알려진 물리 이론 중 가장 정확하게 실험으로 검증되었다.

2)스티븐 호킹 (Stephen Hawking)

호킹이 박사과정에 있던 1960년대에는 프레드 호일(Fred Hoyle)의 '정상우주론*'이 주류를 이뤘습니다. 정상 우주론은 우주는 불변하고 그 안에서 꾸준히 새로운 물질이 만들어지고 팽창하면서 평균 밀도를 일정하게 유지한다는 가설입니다.

하지만 1965년 마이크로파 배경복사**로 이 이론은 치명타를 입게 됩니다. 과거의 우주는 뜨겁고 밀도가 높은 단계가 있었음이 밝혀졌기 때문이죠. 호킹은 "수축하던 우주가 특정 밀도에 이르러 다시 팽창하기 시작한건가?"라는 물음의 답을 찾기 위해 로저 펜로즈(Roger Penrose)가 증명한 특이점에 주목했습니다.

특이점은 엄청난 중력을 가지고 있어, 시공간을 포함한 모든 것이 사라지는 우주 공간의 한 점을 말합니다. 호킹은 펜로즈와 함께 우주의 팽창을 역으로 계산해 시간과 공간이 시작된 특이점, 즉 빅뱅이 존재한다는 것을 수학적으로 증명했습니다. 1966년 호킹은 이 결과를 박사학위 논문으로 제출했고, 영국 케임브리지대에서 매년 눈에 띄는 수학적 연구결과를 내놓은 연구자에게 수여하는 애덤스상을 받은바 있습니다.

블랙홀의 특이점 정리를 계기로 호킹은 본격적인 블랙홀 연구에 나섰습니다. 몸은 휠체어 위에 있었지만 그의 생각과 열정만큼은 자유로웠죠. 그는 1974년 일

---

* 정상우주론은 '우주는 시간과 공간에 관계없이 항상 변하지 않는다'는 이론이며, 우주가 시작도 끝도 없이 영원히 존재하며 그 안에서 새로운 물질을 꾸준히 만들어내고 일정부분 팽창한다는 가설이다.

** '관측 가능한 우주'를 균일하게 가득 채우고 있는 우주 전역에서 발견되는 약 160GHz의 주파수를 가진 마이크로파 전자기 복사이다.

반상대성이론에 양자역학을 접목시킨 '호킹 복사' 이론을 발표했습니다. 이 연구는 이론물리학계에서 호킹을 일약 스타로 만들었습니다.

블랙홀의 가장 중요한 성질은 '블랙홀에 한번 들어간 물질은 절대 나올 수 없다'는 것이었습니다. 하지만 호킹은 블랙홀의 주변에서 양자적인 현상이 일어난다면, 블랙홀 밖으로 입자, 즉 빛이 방출될 수 있다고 주장했습니다. 이 현상을 '호킹 복사'라고 합니다. 이전에는 블랙홀은 계속 물질을 빨아들이기만 하기 때문에 질량이 점점 더 늘어난다고 알려져 왔지만, 호킹의 이론에 따르면 계속해서 입자가 방출될 수 있기 때문에 블랙홀은 필연적으로 점점 작아지게 되고, 언젠가는 모두 소멸될 운명을 가지고 있다는 것입니다. 때문에 이를 '블랙홀 증발이론' 이라고 부르기도 합니다.

이 이론은 학계에서 큰 주목을 받은 동시에 큰 논란을 가져오기도 했습니다. 호킹의 이론에 따르면 블랙홀에서 방출되는 입자는 정보를 가지고 있지 않아야 하는데, 양자역학에서는 물질의 고유한 정보는 반드시 보존돼야 하기 때문입니다. 즉, 일반상대성이론을 기반으로 하는 블랙홀과 양자역학이 정면으로 충돌하는 것이죠. 결국 이에 대해 호킹은 2004년과 2014년 두 번에 걸쳐 이론을 수정했습니다.

호킹을 이야기할 때 그의 저서 역시 빼놓을 수는 없을 같습니다. 가장 잘 알려진 책은 1988년에 발간돼 약 30년간 과학 분야 베스트셀러 자리를 놓지 않은 '시간의 역사'입니다. 그는 1982년부터 줄곧 대중이 읽을 수 있는 책을 만들자는 목표를 가지고 있었습니다.

그는 이 책에 지금까지 연구해 온 내용과 우주론에 대한 전반적인 이야기를 담았습니다. 대중이 쉽게 읽을 수 있도록 친숙한 이미지와 비유들을 최대한 많이 활용했고, 할 수 있는 한 수학 방정식을 배제했죠. 그의 노력으로 시간의 역사는 40여 개의 언어로 번역돼 전 세계적으로 1000만 부 이상이 팔렸습니다.

그는 76세의 나이로 세상을 뜨기 전까지 연구 활동을 멈추지 않았습니다. 휠체어에 몸을 싣고 나중에는 기관지까지 잘라내 컴퓨터 음성 합성기를 이용해야만 말을 할 수 있을 만큼 상태가 악화됐지만, 그 누구보다 열정적으로 우주의 비밀을 밝히기 위해 노력했습니다.

"당신의 발을 내려다보지 말고 고개를 들어 하늘의 별을 바라보는 것을 기억하라."

3) 알프레드 베른하르드 노벨 (Alfred Bernhard Nobel)

노벨은 붙일 수 있는 수식어가 너무 많아서 단순하게 '이런 사람'이라고 말하기 어려운 타입에 해당합니다. 일단 가장 널리 알려진 대로 발명가라 합시다. 그러나 연구만 알고 사회적 감각은 무딘 전형적 발명가를 떠올린다면 전혀 그와 동떨어진 캐릭터 입니다. 실제로 노벨 자신의 자평에 적당한 표현이 있습니다. "과학 분야에서 산업 분야로 인생 주제를 바꾸는데 성공한 최초의 사람", 과학자로서도 경영자로서도 성공했다는 의미가 되겠네요.

그가 과학자로서 만든 다이너마이트는, 1876년 가장 강력하고도 안전한 폭발물이란 지위를 확보한 이래 금세기까지 150여 년이나 세계 각지에서 사용되어 왔습니다. 광산에서 도로를 놓거나 터널을 뚫어 철도를 놓는 공사장에서, 혹은 오래된 건물이나 구조물을 제거하는 파쇄공사에서 그의 다이너마이트는 빼놓을 수 없는 필수 수단입니다. 1896년 사망할 때까지 그는 355개의 특허를 보유하고 있었죠.

그는 전쟁의 문제에 관해서도 일관된 희망을 피력한 바 있습니다.

"전쟁을 없앨 만큼 강력한 폭발물을 만들고 싶다. 한번 사용해본 뒤로는 감히 다시 사용할 용기를 낼 수 없을 정도의 폭발물을 만든다면, 그래서 이것을 각국이 보유하게 된다면, 누구도 감히 전쟁을 일으킬 수 없게 될 것이다."

이를테면 전쟁 억지력이 될 만큼 강한 폭탄을 만들겠다는 것이었습니다. 물론 그의 다이너마이트는 그 정도까지의 위력을 발휘하지는 못했습니다. 그러나 뒤에 그가 의도한 바와 같이 '전쟁 억지력'이 될 만한 큰 위력의 폭탄이 실제로 등장하였으니 바로 핵폭탄입니다. 역사상 딱 한 번 그것을 사용해본 인류는, 이후 많은 나라들이 그것을 가지고 있으면서도 감히 다시 사용할 엄두를 내지 못했습니다. 덕분에 20세기 후반부터는 국제적 전면전이 억제돼 왔죠. 그것을 만든 사람들은 바로 노벨의 또 다른 발명품 '노벨상'에 의해 고무된 과학자들이었습니다.

2장

과학자들의 생각법

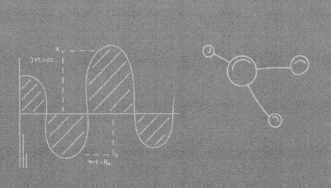

5세 때 알버트 아인슈타인(Albert Einstein)은 신기한 선물 하나를 받았다고 합니다. 바로 나침반이었죠. 언제 어디서든지 나침반의 바늘이 한 방향만을 가리키는 것을 보고 어린 아인슈타인은 "어떤 힘이 작용하는 것일까?"를 생각하며 이 세상에는 보이지 않는 힘이 존재한다는 것을 막연하게나마 깨달았습니다. 그리고 16세가 된 소년 아인슈타인은 궁금한 것이 또 생겼습니다.

"빛과 같은 속도로 가면 어떻게 될까?"

그러한 물음표를 그는 10년이 넘도록 간직했습니다. 그리고 생각에 생각을 거듭하여 20세기 초 서른이 채 되지 않은 나이에 현대사를 바꿀 상대성 이론*을 발표하게 된 것입니다. 상대성 이론은 소년 아인슈타인의 머릿속에 떠오른 물음표 하나에서 비롯되었습니다.

그런 아인슈타인은 1955년 76세의 나이로 세상을 떠나면서 자신

---

* 시간과 공간에 대한 물리 이론이며 특수 상대성 이론과 일반 상대성 이론으로 나뉜다. 상대성 이론에 따르면, 서로 다른 상대 속도로 움직이는 관측자들은 같은 사건에 대해 서로 다른 시간과 공간에서 일어난 것으로 측정하며, 그 대신 물리 법칙의 내용은 관측자 모두에 대해 서로 동일하다.

의 뇌를 연구용으로 기증했습니다*. 많은 사람들이 천재 물리학자의 뇌는 보통 사람들과 어떻게 다른지, 어떻게 남들과 다른 생각을 하는 것인지 궁금해 했기 때문입니다. 이에 미국 프린스턴병원의 토마스 하비(Thomas Harvey) 박사가 아인슈타인의 뇌를 꺼내 240조각으로 잘라 연구를 진행했다고 알려져 있습니다. 대부분의 사람들은 아인슈타인의 뇌가 보통 사람보다 훨씬 크거나, 특정부위가 특별 할 것이라 생각했습니다. 그러나 오히려 크기는 평균보다 작았고 딱히 특별한 점도 발견되지 않았다고 합니다.

아인슈타인의 뇌는 다른 사람들의 뇌와 크기, 무게 면에서 크게 다르지 않았는지 모르지만 그는 다른 사람들과 확연하게 구분되는 '상상력과 호기심'이라는 기질을 가지고 있었던 것이죠. 그리고 정말 남다른 점이라면 그의 호기심은 순간적인 기분이 아니라 평생 동안 계속되는 하나의 정체성이었다는 점입니다. 어린 시절엔 누구나 과학도적인 호기심을 갖지만 곧 잃게 됩니다. 어른이라는 껍질과 현실의 분주함 속에 어린 영혼이 사라지게 되는 것이죠. 그러나 아인슈타인은 평생 그러한 어린 영혼을 잃지 않았습니다. 그리고 그는 이렇게 말했습니다.

"영원성, 생명, 현실의 놀라운 구조를 숙고하는 사람은 경외감을 느끼게 된다. 매일 이러한 비밀의 실타래를 한 가닥씩 푸는 것으로 족

---

* 몸을 사후 기증하겠다고 했지만, 실제 죽음을 앞두고는 자신을 신격화하는 것을 원치 않는다며 화장해달라는 유언을 남겼다는 의견도 있다.

하다. 신성한 호기심을 절대로 잃지 마라."

상상력과 호기심 같은 정신적인 영역도 뇌라는 물리적인 구조물 어딘가에 숨어 있을 수 있습니다. 그렇다는 가정 하에, 아인슈타인의 뇌에 대해 연구가 더 깊이 진행되기만 한다면 다른 평범한 사람과 다른 독특한 구조적 특징을 발견해 낼 수도 있을 겁니다. 그러나 뇌의 구조적인 비밀을 밝히기보다 "신성한 호기심을 절대로 잃지 말라!"는 천재의 일성에 귀 기울이는 것이 훨씬 더 현실적이지 않을까요.

그러니 우리는 이렇게 믿읍시다. 과학을 함에 있어서 특별한 뇌는 필요 없다고. 오직 특별한 생각이 필요할 뿐.

과학적 사고란

갈릴레오 갈릴레이(Galileo Galile)는 아리스토텔레스(Aristotle)와 생각이 달랐습니다. 비록 중세의 과학관이 아리스토텔레스가 만들어 놓은 우주관에 영향 받고 있었지만, 갈릴레오는 그의 의견에 동의하지 않았던 것이죠. 아리스토텔레스는 고대 그리스를 대표하는 철학자이자 과학자요, 당대의 지성이고 현자의 표상이었습니다. 이런 아리스토텔레스가 집대성한 과학적 정리들은 무려 2000여 년간 유럽 문명에 지대한 영향을 미쳤습니다. 그 중 하나가 자유낙하 이론입니다. 약 두 세기 동안 아무도 이의를 제기하지 않았던 바로 이 이론에 갈릴레오는 최초로 반기를 들게 됩니다.

사실 자유낙하 이론은 아리스토텔레스의 핵심 이론인 5원소론에서 출발합니다. 아리스토텔레스는 세상을 구성하는 물질은 모두 다섯 가지라고 보았는데, 그에 따르면 다섯 가지 원소는 흙, 물, 불, 공기의 네 가지 기본원소와 에테르(Ether)라는 순수원소로 구성됩니다. 이때, 흙과 물은 무거워서 아래로 내려가려 하고 불과 공기는 가벼워서 위로 올라가려 한다는 것이죠. 이들 네 가지 기본 원소를 통합하고 조정하는 원소가 바로 에테르입니다. 아리스토텔레스는 에테르의 운동을 통해 우주가 균형을 잡는다고 가정했습니다. 그리고 무거운 원소인 흙과 물은 낙하와 관련해 일정한 법칙을 따른다고 가정했습니다. 그것은 '무거운 것은 빨리 떨어지고 가벼운 것은 천천히 떨어진다.'는 법칙입니다. 이게 바로 아리스토텔레스의 자유낙하에 대한 이론인 것이죠.

자유낙하에 대한 이론은 상식적인 수준에서 들으면 맞는 말인 것 같습니다. 우리가 일상생활에서 경험하는 낙하운동과도 매우 밀접하기 때문입니다. 그러나 그렇지 않은 사건도 여러 곳에서 발견됩니다. 종이의 낙하를 생각해 보면 이해가 쉽습니다. 종이를 펼쳐 놓은 상태에서 떨어뜨리면 천천히 떨어지죠. 그런데 이것을 뭉쳐 떨어뜨리면 빨리 떨어집니다. 이 두 가지는 형태는 다르지만 무게는 똑같습니다. 무게는 같음에도 불구하고 떨어지는 속도가 달라진다는 것입니다.

이 자체로 아리스토텔레스의 자유낙하에 대한 이론은 모순에 빠지게 됩니다. 흥미로운 점은, 이러한 현상을 비단 갈릴레오만 발견한 게 아니라는 점입니다. 이미 오래전부터 아리스토텔레스의 자유낙하에 대한 이론에 모순되는 사건이 여러 곳에서 발견됐지만, 아무도 이를 구체적으로 탐색하고 증명하지 않았습니다.

25세의 나이로 수학교수가 된 갈릴레오는 천문학과 유클리드 기하학을 가르쳤다고 합니다. 그는 수업 중 아리스토텔레스의 운동학을 가르쳐야 했으므로, 좋든 싫든 낙하운동에 대한 이론을 강의해야만 했죠. 그러나 수업을 하면 할수록 이론의 모순을 발견하게 되어 고민에 빠졌다고 합니다. 이때 중요한 것은 모순의 핵심을 발견하는 것입니다. 모순의 핵심만 발견하면, 나머지를 풀어나가는 것은 상대적으로 쉬워지기 때문입니다. 갈릴레오의 증명 과정을 정리하면 다음과 같습니다.

《〈갈릴레오의 자유낙하 이론에 대한 모순 증명〉》

(1) 무거운 것은 빨리 떨어지고 가벼운 것은 천천히 떨어진다는 아리스토텔레스의 이론이 맞는다고 가정하자.

(2) 그렇다면 그 둘을 묶어서 떨어뜨려 보자. 그렇게 되면, 무거운 것은 빨리 떨어지려 하고 가벼운 것은 천천히 떨어지려 하니, 이 둘을 묶어 놓은 것은 평균의 속도로 떨어지게 될 것이다.

(3) 그러나 묶어 놓은 이 돌은 이미 무거운 돌 하나보다 더 무겁다. 따라서 아리스토텔레스의 자유낙하에 대한 이론은 그 자체로 모순이다.

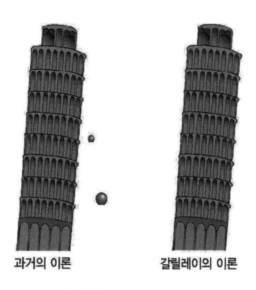

과거의 이론   **갈릴레이의 이론**

피사의 사탑과 자유낙하 그림
그림출처: Wikibook s , Theresa Knott

갈릴레오는 딱 3단계의 논리로 2000년간 유지돼 온 아리스토텔레스의 모순된 이론을 단숨에 논파해버렸습니다. 이 논리를 접한 사람들은 어떤 반응을 보였을까요? 아리송한 반응이었을 겁니다. 논리상 아무런 문제가 없지만 평소의 생각과 다르기 때문이었겠죠.

이때가 바로 실험을 통한 확증이 필요한 순간입니다. 갈릴레오는 부피는 같지만 무게가 다른 두 개의 공을 들고 피사의 사탑에 올라갔습니다.*

----

* 피사의 사탑이 아니라는 설도 있다.

나선형으로 된 계단을 294계단이나 올라가 꼭대기 층에 이른 갈릴레오는 부피는 동일하지만 무게는 다른 두 공을 동시에 떨어뜨렸습니다. 두 공은 아리스토텔레스의 설과는 달리 동시에 떨어졌죠. 2000년 만에 아리스토텔레스의 이론이 깨지는 순간이었습니다.

갈릴레오는 이처럼 모순된 현상을 발견하고 그 핵심을 간파해 대안을 제시하려는 머릿속의 노력을 '생각실험(Thought Experiment)'이라고 불렀습니다. 갈릴레오는 이와 같은 생각실험을 통해 낙하이론뿐만 아니라 다른 곳에서도 자유자재로 자기 이론을 입증하곤 했습니다. 갈릴레오의 생각실험 절차를 구분해 보면 다음과 같습니다.

《《갈릴레오의 생각실험 절차》》

(1)모순되는 현상을 발견한다.

(2)모순된 현상의 핵심이 무엇인지 탐구한다.

(3)생각실험을 통해 해결 방안을 탐색한다.

(4)도출된 해결대안이 처음 발견된 모순을 극복하는지 적용한다.

(5)실제 실험을 통해 실증적으로 증명한다.

갈릴레오의 생각실험은 놀라운 효과를 발휘합니다. 복잡하고 해결하기 어려울 것 같은 문제들도 생각실험을 통해 문제의 핵심을 발견하게 됨으로써 처음의 모순을 극복하게 되는 것이죠.

천동설[*]이 사회적으로 받아들여지고 있던 중세에 지동설을 주장했던 니콜라스 코페르니쿠스 (Nicolaus Copernicus)도 과학적 사고를 보여준 또 하나의 전형적인 예로 꼽을 수 있겠네요. 아무리 사회적으로 보편진리라고 받아들여지고 있다 할지라도, 관찰된 결과에 근거해서 다른 주장을 할 수 있는 것이 바로 과학적 사고라는 것입니다. 뉴턴의 고전역학이 진리라고 받아들여지고 있을 때, 우주를 관찰하면서 고전역학에 대한 모순을 발견하고 이를 수정하는 상대성 이론을 생각해낼 수 있었던 아인슈타인도 과학적 사고를 가졌다고 볼 수 있습니다.

사실 이것은 과학 실험에만 유효한 방법이 아니라 과학과 전혀 관련 없어 보이는 현대 경영에도 적용할 수 있는 통찰 기법입니다. 과학과 동떨어져 보이는 두 가지 사례를 소개해보겠습니다.

구글(Google)은 여느 포털 사이트와 조금 다릅니다. 여러분이 생각하는 구글과 다른 포털들의 가장 큰 차이점은 무엇일까요? 제 생각엔 첫 화면에 배너 광고를 하지 않는다는 것입니다. 구글은 그 이전의 어떤 포털도 생각하지 않은 방법을 사용했습니다. 그렇다면 도대체 왜 이런 방법을 사용했을까요? 그것은 자유낙하 이론의 모순을 파헤친 갈릴레오와 같은 생각을 했기 때문입니다.

사람들은 원하는 '정보'를 보고 싶어 하지 '광고'를 보고 싶어 하지

---

[*] 지구가 우주의 중심이며 모든 천체가 지구 주위를 돈다는 학설이다.

는 않습니다. 그러나 돈을 내는 기업은 광고를 먼저 제공하고 싶어 합니다. 이로써 상호 모순된 현상이 발생하는 것이죠. 이 모순을 해결하면 소비자도 행복해지고, 기업도 행복해지고, 포털도 행복해집니다. 이럴 때 갈릴레오의 생각실험 절차에 따른다면 쉽게 해결 대안을 탐색할 수 있습니다. 그렇다면 이 모순의 핵심은 무엇일까요?

사실 사람들이 모든 광고를 싫어하는 것은 아닙니다. 불필요한 광고는 싫어하지만 필요한 광고는 오히려 좋아합니다. 예를 들어 어떤 소비자가 거울에 대한 정보를 탐색하고 있다고 합시다. 이 소비자는 거울에 적합한 정보를 종합적으로 살펴보려 할 것입니다. 이때 거울 광고는 이미 광고가 아니라 정보에 가깝겠죠. 오히려 제품 광고를 좋아하게 될지도 모릅니다. 하지만 거울을 찾는 사람에게 음식 광고를 제시하면 어떨까요? 그저 불필요한 정보에 해당될 뿐입니다. 이것이 바로 구글이 발견한 모순 해결의 돌파구였습니다.

구글에서 첫 화면은 오직 소비자를 위한 깨끗한 화면이 제시됩니다. 그러나 원하는 키워드를 치고 나면, 그 키워드에 적합한 정보와 제품 광고가 제시되죠. 이때에는 제품 광고가 귀찮은 존재가 아니라 오히려 반가운 존재가 됩니다. 놀라운 사고의 전환이 아닐 수 없습니다. 이러한 사고는 초기의 모순을 해결할 뿐 아니라 소비자, 기업, 포털 모두가 행복해지는 시너지 효과까지 유도합니다.

한국의 경우 모순 해결 제품으로 김치냉장고를 빼놓을 수 없습니다. 김치냉장고의 경우, 1995년을 기점으로 한국시장에 선을 보이더니, 지금은 김치냉장고 없는 집이 없습니다. 김치 냉장고의 성공에도 갈릴레이의 과학적 사고가 숨어있는 거 아시나요?

한국의 주부들은 한겨울 땅속에 묻어놓은 김장김치를 가장 맛있어 합니다. 그런데 아파트에는 김장김치를 묻을 만한 땅이 없죠. 전형적인 모순이 발생한 순간입니다. 어떻게 해야 할까요? 모순의 핵심 원인이 무엇인지 발견하고 이를 해결해야겠죠. 현상적으로 보기에는 땅속이 핵심인 것 같지만 잘 살펴보면 땅속의 온도와 습도 유지가 핵심입니다. 다시 말해, 땅속에 묻는 게 중요한 게 아니라, 온도와 습도를 유지시켜주는 작업이 핵심이 되는 겁니다. 김치냉장고는 한겨울 땅속의 온도와 습도를 유지시킬 수 있는 기술을 개발했고, 이를 실증적으로 실험해 그 맛을 되살려냈습니다.

생각해보면 세상에는 참 많은 모순이 충돌하고 있습니다. 많이 먹고 싶어 하지만 살찌는 것은 싫어하고, 좋은 제품을 원하지만 가격이 비싼 것은 싫어합니다. 성적은 올리고 싶어 하면서도 공부하기는 싫어하죠. 이 모든 것이 다 모순입니다. 이제 우리에게 남은 것은 모순이 발생하는 핵심을 탐구하는 것이겠죠. 이것을 해결하는 것이 우리가 흔히 말하는 대박 아이디어 아닐까요. 어쩌면 갈릴레오의 생각실험은 우리가 그토록 갈망하는 성공에 이르는 지름길이 될지도 모르겠습니다.

네가 한 공부는 뭔데?

한때 저는 그저 열심히 공부하는 것이 곧 깊이 공부하는 것이라 여겼습니다. 하지만 '깊이 있는 공부'란 또 다른 차원입니다. 이 이야기를 위해 제가 처음 스위스로 유학 갔을 때 일어났던 사건 하나를 들려드릴까 합니다.

몇 년간 꿈에 그리던 학교였고 어렵게 입학한 만큼 당연히 학업에도 최선을 다했습니다. 영어와 독일어로 진행되는 수업이 서툴렀기에 늘 녹음기를 들고 다녔고, 녹음된 수업내용을 길에서도 버스에서도 잠들기 전 침대에서도 반복해 들었습니다. 전공 교과서는 몇 회독을 세는 것이 의미가 없을 정도로 수백 장을 통째로 외웠죠. 그야말로 '열심히' 공부했습니다. 그래서였을까요? 기말고사 시험지를 받아들고 무척 기분이 좋았던 기억이 납니다. 모르는 문제가 없었고, 어쩌면 여기서도 수석일지도 모른다는 기대감에 감독관에게 농담까지 건네며 답안지를 냈습니다. 그때 건넨 농담도 "여긴 등록금이 없는 건 좋은데 장학금이 없는 건 아쉽다."였거든요. 지금도 그 발언을 떠올리면 자다가 이불발차기가 절로 나갑니다. 그렇게 기말고사가 끝나고 성적이 발표되었을 때 저는 경악을 금치 못했습니다.

저희 학교는 6.00 만점을 기준으로 답변의 완성도에 따라 0.25씩 감점하는 형태의 성적체계를 따릅니다. 5.00이 넘으면 시험을 꽤 잘친 것이고, 4.00까지는 통과, 그 아래 성적을 받으면 재시험 혹은 유급에 처해집니다. 그리고 제 성적은 무려 1.00......?! 당연히 성적 입력이 잘못되었거나 채점자에게 실수가 있었다고 생각했기에 바로 교수님께 전자 우편을 보냈습니다. 실수가 있었다면 간단히 수정하면 될 것을 교수님은 굳이 오피스 아워(office hours)*를 알려주며 꼭 찾아올 것을 당부하더군요. 그리고 약속 당일 교수님께서는 시험지의 주인공이 누군지 궁금했다며 저를 맞이했습니다. 저는 점수가 잘못된 거 같으니 채점된 시험지를 보고 싶다고 했습니다. 그러자 교수님 왈 "시험은 잘 봤다. 시험지에 적힌 답변은 완벽하더라. 근데 한 학기 동안 네가 한 공부는 뭔데? 네가 적어놓은 건 다 내가 한 공부던데?"라는 겁니다. 무슨 말을 해야 할지 몰라 가만히 있으니 교수님이 계속 이야기를 이어갔습니다. "내가 전기력**에 대해 이야기를 했을 때 더 궁금한 건 없었어? 왜 전기력의 크기는 거리가 아니라 거리제곱에 반비례하는지 궁금하진 않았어? 두 전하량의 차이가 아주 많이 나는 경우와 차이가 전혀 나지 않는 경우에도 같은 현상이 나타날까? 맞는다면 그 이유가 뭔데? 아니라면 그 이유는 또 뭐고?" 쏟아지는 물음표의 압박에 제가 할 수 있는 대답은 없었습니다. 단, 교수님이 저에게 하고 싶은 이야기가 무엇인지 조금은 알 거 같더군요.

제가 스스로를 돌아봐도 저의 공부에는 물음표가 없었습니다. 알려진 내용을 남이 정리한 방식으로 받아드린 다음 시험지에도 그대로 옮겨 적어놓았으니 교수님 말씀처럼 제가 한 일은 없다고 봐도 무방

---

* 대학교수 등의 office hours는 누구나 자유롭게 찾아와 상담할 수 있는 시간을 정해두는 것을 가리킨다.

** 전하를 띠고 있는 물체 사이에 작용하는 힘이다.

할 거 같았습니다. 긴 이야기가 오간 끝에 저는 다행히 한 번의 기회를 더 부여받았습니다. 그리고 집으로 돌아가기 전 학교를 한 바퀴 둘러봤습니다. 그제야 삼삼오오 모인 학생들이 토론하는 모습이 눈에 들어왔습니다. 백발의 교수님 앞에서 팔짱을 끼고 언쟁하는 학생도 보였습니다. 그것이 32명의 노벨과학상을 배출한 학풍이었습니다.

　제가 이전에 토론을 어려워하거나 꺼렸던 이유를 되돌아보면, 무지를 들키는 것을 두려워했기 때문입니다. 하지만 사람은 모르기 때문에 궁금해 하는 것이 아닙니다. 실제로는 아는 것을 더 궁금해 하죠. 앎에는 단계가 있어서 전혀 알지 못하는 것은 두텁고 무거워서 들어볼 생각조차 할 수 없지만, 어느 정도 아는 것은 충분히 들춰볼 수 있을 것 같고 무엇이 나타나건 감당할 수 있을 것 같습니다. 그런 약간의 자신감과 용기가 호기심으로 이어지는 것입니다. 그러니 토론할 생각을 못했다는 것은 두려움 때문이 아니라 그저 아는 것이 없어서였을지도 모르겠습니다. 그러한 관점에서 보면 최초에 교수님이 부여한 1.00이라는 성적도 합리적이었던 것 같네요.

　'앎'은 중요합니다. 알면 알수록 궁금한 것이 많아지고, 조심하고 멀리해야 할 것에 대한 감각도 만들어집니다. 앎은 분명 일정 수준의 경험을 통해 보다 값진 것으로 탈바꿈하지만, 삶의 시간이 누적된다고 해서 저절로 쌓이는 것은 아닙니다. 그저 번뜩이는 아이디어는 존재하지 않는다는 뜻입니다. 생각하고, 창조하고, 발전시킨 모든 것들은 허무로부터 갑자기 솟아나지 않았습니다. 어느 순간 나도 모르게 튀어나온 무언가는 사실 오래전부터 내 안에 이미 존재하는 것들이 었을 겁니다. 다만 언제 그것이 내 안으로 들어왔는지 기억할 수 없을 뿐이죠. 진정 깊이 있는 공부를 통해 내 안의 보물이 튀어나올 때의 카타르시스가 느껴보시길 바랍니다. 그런 쾌감은 지금껏 쌓아온 '앎' 으로부터 파생되는 가장 즐거운 일들 중 하나일겁니다.

부록: 실제 취리히 연방공대 물리학과 기말고사 기출문제 중 일부

Random Problem Title (50,000 points)

1.) Three charges, $|q| = 4.00 \times 10^{-6}$ C, are rigidly arranged in line with spacing $a = 10.0$ cm $= 0.100$ m as shown. (a) Find the vector electric force, $\vec{F}_g$, acting on the charge at the right.

+q   -q   +q

(b) The center charge at point P is removed. Find the electric field vector, $\vec{E}_{total}$, at the center point P.

+q   P   +q

(c) Find the electric potential, V, at the center point P.

+q   P   +q

(d) A charged piece of copper has $q = 6.61 \times 10^{-6}$ C. Calculate what has to be added or removed to make this real charge from an uncharged piece of copper?

영어로 된 문제의 해석만 가능하다면 우리나라의 물리학과 학부 1학년 혹은 물리과목을 선택한 고등학생들은 '엥?'하는 생각이 들었을 겁니다. 제가 그러했던 거처럼 문제의 난이도가 매우 낮아 보이기 때문입니다. 생각해보니 같은 종류의 전하사이에는 척력이, 다른 종류의 전하사이에는 인력이 작용한다는 건 초등학생 수준의 상식이기도 하네요. 하지만 이 문제를 출제한 교수님의 의도는 그저 'why'였던 겁니다. 척력과 인력에 대해서 'why'를 외쳐본 적 있나요? 없다면 지금부터 한번 생각해보면 어떨까요.

생각을 바꾸면 없던 기회도 생긴다.

'3M의 포스트잇'과 '베이비 캐럿'의 공통점은 무엇일까요. 그것은 바로 탄생의 기원이 발상의 전환에서 왔다는 점입니다. 우리가 흔히 먹는 베이비 캐럿은 따로 존재하는 품종이 아닙니다.

베이비 캐럿의 탄생 과정은 이러합니다. 1985년 가주의 한 농부는 공들여 재배한 당근 10개 중 적게는 3개, 많게는 4개를 마켓에 납품할 수 없었다고 합니다. 품질은 괜찮은데 못생겼거나 작은 흠집으로 상품성이 없었기 때문이죠. 정성 들여 키운 당근이 소비자의 식탁에도 오르지 못한 채 버려져야 한다는 현실에 농부는 고민이 컸을 거 같습니다. 그런 그의 고민은 못난이 당근을 2인치 크기로 잘게 잘라 껍질을 벗겨 포장해 베이비 캐럿으로 판매하는 결과를 낳았습니다. 시장의 호응은 예상 밖으로 컸습니다. 현재 유통되는 당근의 70%가 베이비 캐럿일 정도로 큰 성공을 거두었죠. 일반 당근 하나로 보통 베이비 캐럿 4개를 만들 수 있다고 합니다. 이정도면 한 농부의 발상 전환이 큰 성공으로 이어진 사례라 할 수 있을 듯합니다. 베이비 캐럿처럼 농부가 생각을 바꾸니 새로운 비즈니스 기회가 생겼고, 1년 내내 고생해서 수확한 채소를 버리지 않아도 되는 일석이조의 효과까지 거두었습니다.

일상생활에서 많이 사용하는 포스트잇 역시 발상 전환의 대표적인 사례입니다. 1970년대 스펜서 퍼거슨 실버(Spencer Silver)라는 3M 연구원은 초약력 접착제 '마이크로스피어*'를 개발했습니다. 마이크로스피어는 접착력을 유지하면서도 표면을 손상하지 않고 떼어낼 수 있는 특징이 있었죠. 그런 장점에도 불구하고 접착제는 떨어지면 안 된다는 통념 탓에 마이크로스피어는 상품으로 개발되지 않았을 뿐더러 3M도 그것을 상품화할 수 있는 아이디어를 내지 못했습니다. 그래서 마이크로스피어는 그저 실패한 프로젝트로 남아 있었죠. 하지만 이후 3M 엔지니어 아서 프라이(Arthur Fry)에 의해 세상에서 사라질 뻔 한 마이크로스피어는 빛을 보게 됩니다. 그는 찬송가책에 끼워둔 서표가 바람에 자꾸 바닥에 떨어지자 종이 표면을 손상하지 않고 접착시킬 수 있는 방법을 고안하기 시작했습니다. 그러다 이미 개발된 마이크로스피어에 대해 알게 되었다고 합니다. 프라이는 마이크로스피어를 이용, 메모를 작성해 쉽게 붙이고 떼어낼 수 있는 메모용 종이를 만들어보자는 아이디어를 공유했습니다. 이 아이디어를 기반으로 3M은 포스트잇 제품을 개발하였으며, 1980년에 출시

---

* 유리버블이라고도 불리우며, 응집 및 표면 결합을 방지하는데 효과적이다.

되었습니다. 포스트잇은 출시되자마자 사무실의 인기 문구 제품으로 자리 잡았고, 지금도 다양한 형태와 색상으로 많은 사람이 애용하는 제품입니다. 프라이가 마이크로스피어의 용도를 재발견하지 않았다면 3M의 효자상품인 포스트잇도 나오지 않았겠죠.

위 사례들처럼 당면한 문제점에 대한 고민은 창의적 생각의 시발점이 됩니다. 문제를 해결하기 위해서 많은 지식이 필요할 때도 있지만, 그저 세밀한 관찰과 기발한 착상으로도 해답을 얻을 수 있습니다. 그러니 난제에 봉착하였을 땐 고정관념에 매몰되지 말고, 발상의 전환을 시도해보는 건 어떨까요.

이번엔 과학 발달의 변천에서 돋보이는 발상의 전환 한 가지를 소개해볼까 합니다.

기원전 3000년경 고대 이집트인은 지구는 평평하게 생겼고 평평한 바다가 산과 들이 있는 육지를 감싸고 있다고 생각했습니다. 따라서 배를 타고 멀리 나가면 절벽에 떨어져 죽게 될 것이라 여겼죠. 이러한 평평한 지구모델은 기원전 5세기경 플라톤(Platon)과 아리스토텔레스(Aristotle)로 대표되는 그리스 헬레니즘 문화*에서 논리적 사고와 관찰에 의해 조금씩 변모하게 됩니다. 피타고라스(Pythagoras)는 증명엔 실패했지만 지구가 둥글게 생겼을 것이라고 처음으로 제

---

* 알렉산드로스 대왕의 영토 확장을 통해 그리스의 문화를 정복지에 적극적으로 전파하면서 현지 문화가 결합되어 형성된 문화이다.

안하기도 했습니다. 지구가 둥글게 생겼으니 유럽에서 서쪽으로 계속 항해하면 인도의 동쪽에 도달할 것이라는 크리스토퍼 콜럼버스(Christopher Columbus)의 확신으로 북미대륙을 발견하기까지, 그리고 지구가 우주의 중심이 아니라 태양 주위를 돌고 있는 한 개의 행성이라는 것이 인식되기까지는 1000년 이상의 세월이 필요했습니다.

고대 이집트의 측량기술을 기반으로 평면기하학을 연구하여 정리한 학자가 유클리드(Euclid)인데 평면기하학에 의하면 삼각형의 내각의 합은 180도입니다. 현대인 대부분에겐 상식이기도 합니다. 하지만 지구본을 놓고 보면 조금 다릅니다. 적도를 밑변으로 하고 두 개의 경도선을 택하여 삼각형을 만들면 내각의 합은 180도를 초과하거든요. 그리고 적도에서 일정거리 떨어진 경도선을 따라 두 대의 배가 북극을 향해 나란히 항해를 하면 북극에 가까워질수록 두 배의 간격이 점점 줄어드는 것도 볼 수 있습니다. 만일 지구가 둥글다는 사실을 모르는 선장이 이 현상을 경험한다면 보이지 않는 어떤 힘이 두 배를 잡아당기고 있다고 생각하게 되겠죠. 사실 우리에게 익숙한 평면에서 위와 같은 곡면 효과를 상상하기까지 어려운 과정을 필요로 하진 않습니다. 하지만 평면이 휘어진 것처럼, 3차원 공간이 휘어져 있다고 생각하기에는 우리의 공간지각 능력으로서는 상상의 한계에 직면하게 됩니다.

이것을 과학적 이론의 전개에 사용한 사람이 바로 알버트 아인슈타인(Albert Einstein)입니다. 위에서 예로든 두 배의 항해에서 선장이 착각한 이상한 힘의 존재를 창의적인 발상 전환으로 빛의 전달과정에 적용하였죠. 그렇게 탄생한 것이 바로 일반상대성 이론*입니다. 즉, 뉴턴이 이야기한 만유인력은 질량을 가진 두 물체 사이에서 생기는 힘인데, 아인슈타인은 질량의 존재가 만유인력을 만드는 것이 아니라 공간을 휘게 한다고 생각했습니다. 빛이 중력이 매우 큰 별 근처를 통과하면 공간이 휘어져 있을 것이므로 빛의 경로도 휘게 될 것이라는 이론을 제시한 것입니다. 이 이론은 개기일식을 이용한 별의 측정에서 완벽한 이론임이 증명되었고, 그 이후로 물체뿐 아니라 빛도 빨려 들어가면 다시 나올 수 없는 블랙홀과 같은 별의 존재를 예견하는 이론들로 발전하게 되었습니다.

아인슈타인 이후 새로이 등장한 또 다른 이론은 우주공간이 다차원의 세계로 이루어져 있다는 것입니다. 여기서 인간은 그 끝없는 상상력을 동원하여 공상과학 영역의 문화콘텐츠를 만들어 냈습니다. 만일 공간이 휘어질 수 있고 시간을 포함한 다차원으로 되어 있다면, 미래의 인간은 현재의 제약된 시공을 초월하여 다차원의 우주공간을 마음대로 이동할 수 있을 것입니다. 이를 주제로 다양한 SF소설이 발간되고, 많은 할리우드 영화가 제작되어 전 세계를 대상으로 수입을 올리는 문화콘텐츠로서의 역할을 훌륭하게 수행하고 있음을 우리는 보고 있죠.

---

* 현대의 실험 결과들과 일치하는 가장 단순한 중력 이론이며 현대 물리학에서 중력을 기술하는 표준 이론으로 자리 잡았다.

발상의 전환이나 역발상 모두 고정 관념에서 벗어나 새로운 결과를 도출하는 과정입니다. 좌절하지 않고 문제를 깊이 고민하다 보면 의외로 새로운 길이 많을지도 모르겠습니다. 위기를 기회로 만드는 창의력의 시작은 바로 발상의 전환이기 때문입니다.

새로운 사고로 삶을 시작할 때 인생이 새로워진다.

다이너마이트는 스웨덴의 화학자 알프레드 노벨(Alfred Bernhard Nobel)이 1866년에 우연히 '발견한 것'입니다. 그 이전에는 폭발물로 니트로글리세린을 사용했습니다. 니트로글리세린은 폭발력이 아주 강한 액체로, 조금만 충격이 가해져도 폭발하기에 유리병에 잘 보관하고 조심스레 운반해야 했습니다. 한번은 이것을 바지선에서 실험하다가 니트로글리세린이 들어 있는 병에서 액체가 흘러나왔는데 우려했던 것과 달리 폭발이 일어나지 않았다고 합니다. 이유를 찾아보니, 밑에 깔아둔 규조토*라는 다공질의 흙이 니트로글리세린을 흡수했기 때문이었습니다. 노벨은 그것을 보고 니트로글리세린과 규조토를 적당한 비율로 혼합해서, 더 강력하면서도 안전하게 보관이 가

---

* 아주 미세한 단세포 생물인 규조(硅藻, diatom)들의 유해가 해저 등에 쌓여 만들어진 흙을 말한다.

능한 다이너마이트를 만들었습니다. 덕분에 다이너마이트는 일시적인 충격에는 반응하지 않지만 열이나 반복적인 충격에는 쉽게 폭발할 수 있는 것입니다.

평범한 흙인 규조토가 니트로글리세린을 받아들임으로써 대단한 폭발력을 가진 다이너마이트가 되는 것처럼, 어떤 사고를 갖느냐는 우리의 삶을 전혀 다르게 만듭니다. 좋은 집안, 돈, 혹은 특별한 재능이 없다 해도 좋은 마인드, 좋은 사고방식을 받아들이면 우리의 인생은 굉장히 달라질 수 있다는 뜻입니다.

1953년에 발트자르 폰 플라텐(Baltzar von Platen)이 이끄는 연구팀은 스웨덴 전기 회사 ASEA에서 인조 다이아몬드와 관련된 연구를 비밀리에 진행했습니다. 그리고 마침내 인조 다이아몬드 제조에 필요한 열과 압력을 조성하는 데에 성공했죠. 이후 인조 다이아몬드를 만든 재료가 무엇이냐는 사람들의 질문에, 그들은 시궁창에서 발생하는 메탄가스와 동일한 성분의 메탄을 고온, 고압 상태에서 특수 기술로 합성해 다이아몬드를 만들었다고 답했습니다.

물론 당시 다이아몬드는 육안으로 천연 다이아몬드와 구분이 될 정도로 품질이 떨어지긴 했습니다. 탄소 기체가 주변의 다른 물질까지 흡수해 합성 다이아몬드는 황갈색을 보였던 것입니다. 불순물을 없애기 위해서는 고압 상태에서 다시 열을 가해야 하는데 이럴 경우 추가 비용이 발생하는 상황이었죠. 하지만 한번 발상의 전환을 거치고 나니 '한 번 더'는 비교적 빠르게 이루어졌습니다. 과학자들은 전자레인지에서 음식을 데울 때 에너지로 쓰는 마이크로웨이브*를 이용하여 다이아몬드 결정에서 불순물이 사라지게 했습니다. 불순물을 제거하는 과정에 큰돈이 들지 않자 합성 설비도 전보다 훨씬 크게 만들 수 있었죠.

인조 사파이어도 마찬가지입니다. 최근 스마트폰이 널리 사용되면서 인조 사파이어의 활용도가 높아지고 있습니다. 모두가 하나씩은 가지고 있는 스마트폰 카메라 렌즈의 덮개가 바로 인조 사파이어입니다. 예전에는 사파이어 대신 플라스틱을 사용했기 때문에 시간이 지나면 카메라의 화질이 떨어졌습니다만, 인조 사파이어를 사용하면서는 화질이 월등히 좋아졌습니다. 이때 인조 사파이어의 원료로는 산화알루미늄**을 사용합니다. 산화되어, 즉 녹이 슬어서 쓸모없는 알루미늄을 섭씨 2200도에서 녹여 16~17일 간 서서히 냉각시키면 사파이어가 되는 것이죠.

메탄가스를 압축해 다이아몬드로 바꾸고, 쓸모없는 산화알루미늄을 사파이어로 바꿔 사용한 것처럼, 사고의 전환은 매우 중요하고 절실히 필요합니다. 우리가 인생을 어떤 마인드, 어떤 사고로 가공하느냐에 따라 전혀 다른 삶의 결과를 가져올 수 있기 때문입니다.

---

* 라디오파와 적외선 사이의 파장과 주파수를 가지고 있는 전자기파이다. 보통 파장이 1 mm와 1m사이의 전자기 방사이다.

** 화학식 Al2O3을 만족하는 양쪽성 산화물이다. 알루미나(Alumina), 알록사이트(Aloxite)라 불리기도 한다.

종이책의 힘

"5분만 시간을 주십시오. 책을 다 읽지 못했습니다." 안중근 의사가 사형집행 전 마지막으로 한 말입니다. 인생의 남은 5분을 독서에 할애한 안중근 의사만큼은 아니더라도 우리가 독서의 필요성을 얼마나 이해하고 있는지는 돌아볼 필요가 있습니다. 통계청의 '2019 생활시간조사*'에 의하면 대한민국 국민은 책 읽기에 하루 8분을 사용한다고 합니다. 4년이 흐른 '2023 사회조사**'에서도 독서 인구 비중은 48.5%로 2013년 이후로 계속 감소 추세입니다. 더욱이 독서 인구 1인당 연간 평균 독서 권수는 14.8권으로 최근 10년간 최저 수준으로 나타났다고 하네요. 이러한 추세는 궁금증을 해소하거나 간접 경험을 위한 방법으로써 책이 아닌 다른 매체를 선택하는 비중이 늘어났기 때문이라 생각합니다. 저 역시도 알고 싶은 정보가 생기면 가장 먼저 하는 일이 구글링***이거든요. 하지만 정보의 취득, 인지능력 발달, 경험의 확장 등은 독서가 아닌 다른 것들로 채우더라도 여전히 책의 역할은 존재합니다. 제가 생각하는 독서의 가장 큰 매력은 영감과 상상력의 원천이기 때문입니다. 2020년 5월 31일 우주개발에 새

---

* 대한민국 통계청 공식 홈페이지, 2019년 생활시간조사 결과
** 대한민국 통계청 공식 홈페이지, 2023년 사회조사 결과(복지, 사회참여, 여가, 소득과 소비, 노동)
*** 전 세계적으로 유명한 포털사이트인 구글에 -ing를 붙여 만든 단어로, "구글로 정보를 검색한다."라는 뜻이다.

로운 역사가 쓰인 것을 알고 있나요? 스페이스X의 일론 머스크(Elon Musk)가 첫 민간 유인우주선 발사에 성공한 날입니다. 우주 관광을 꿈꾸는 그의 집념이 드디어 우주에 도킹한 순간이었습니다. 최근에는 스페이스X뿐만 아니라 아마존의 제프 베조스(Jeff Bezos)가 설립한 블루오리진 등 민간기업 주도의 우주개발이 활발합니다. 이렇듯 우주여행 시대를 여는 일론 머스크와 제프 베조스에게는 공통점이 있습니다. 바로 어릴 때 읽은 책에서 받은 영감이 그들의 우주여행 개발 여정의 원동력이 되었다는 점입니다. 일론 머스크는 은하제국의 흥망성쇠를 다룬 아이작 아시모프(Isaac Asimov)의 '파운데이션'이 스페이스X 설립의 근간이 되었다고 말했으며, 제프 베조스는 어린 시절 쥘 베른(Jules Verne)의 '달나라 탐험'을 읽고 우주여행의 꿈을 꾸었다고 합니다. 또한 그에게 우주여행의 영감을 준 쥘 베른은 어린 시절 '로빈슨 크루소'를 읽고 멋진 모험을 꿈꾸며 '80일간의 세계일주', '달나라 탐험' 등의 수많은 공상과학소설을 썼습니다. 바다의 무인도에서 시작된 꿈이 우주로 확장되고, 그 꿈이 현실이 되었습니다.

책이 다른 매체와 다른 점은 모든 장면과 음성을 내 머리로 그려야 하다는 겁니다. 위에서 언급한 이들이 책이 아닌 영상으로 로빈슨 크루소를 접하고, 달나라 탐험을 보았다면 오늘날의 우주산업이 가능했을까요?

부록

종이책의 '과학적인' 장점

전자책은 물류비가 거의 들지 않고 제작비도 적다는 장점이 있습니다. 그래선지
근래에는 종이책으로 나오지 않고 전자책만 나오는 것도 꽤 많지요. 하지만 종이
책에는 전자책이 따라올 수 없는 수많은 장점이 있습니다. 단지 감성적인 것만이
아니라, 과학적인 면에서 말이지요.

1. 종이의 향기와 감촉은 디스플레이가 재현할 수 없는 촉감을 통한 기억의 재
현과 함께 깊은 감성을 전해줍니다. 인간의 몸은 시각 하나, 촉각 하나, 후각 하
나 등으로 오감을 나누어서 사용하는 것이 아니라 다양한 감각을 통해서 무언가
를 인식하게 되어 있습니다. 그리고 이를 통해서 기억을 이끌어낼 수 있도록 되
어 있지요. 종이책을 넘기는 감촉, 종이의 느낌, 여기에 종이에서 전해지는 향기
등은 우리에게 시각만으로는 느낄 수 없는 수많은 감각을 제공합니다. 이 때문에
같은 책을 보더라도 종이책에 기록된 내용이 더 감동적이며 우리들의 마음을 자
극합니다. 최근의 연구에 따르면 전자책보다는 종이책의 인물에게 감정을 이입
할 가능성이 더 높다고 합니다. 그만큼 이야기를 충실하게 느낄 수 있다는 말이
겠죠.

2. 종이책은 현실감을 높여주며, 보다 논리적인 판단이 가능하게 해 줍니다. 인
간은 글을 읽도록 진화되어 있지 않습니다. 다만 우리의 눈이 풍경과 물체를 인
식하면서 그것의 일부로써 글을 인식하게 되는 것입니다. 우리의 뇌 또한 자체

적으로 발광하는 물체는 '물체'로 인식하지 못하고 비현실적인 존재로 생각합니다. 그러니 디스플레이 방식의 화면은 우리에게 비현실적이고 비논리적인 존재로서 인식되겠죠. 반면 반사광에 의해서 형체를 인식할 수 있는 종이책은 물체로써 인식됩니다. 때문에 우리는 종이책을 볼 때 더욱 논리적이고 이성적으로 판단할 수 있게 됩니다. 제 개인적으로도 화면으로 본 글보다는 프린트해서 읽었을 때 글의 좋고 나쁨을 인식하기 더 쉬웠던 기억이 있습니다. 오탈자나 맞춤법 등의 문제도 좀 더 쉽게 보이더군요.

3. 종이책의 반사광은 디스플레이의 발광에 비해서 눈의 피로가 적으며, 집중하기 좋습니다. 발광하는 물체는 우리의 눈에 매우 자극적이며, 그만큼 눈을 피로하게 만듭니다. 눈뿐만 아니라 육체의 건강도 해친다는 연구 결과가 나와 있기도 하지요. 하지만 무엇보다도 중요한 것은 발광하는 물체에는 집중하기가 어렵다는 것입니다. 때문에 자연스레 종이책보다 긴 시간을 들여야만 이해할 수 있습니다.

4. 종이책의 높은 해상도는 우리에게 더욱 부드러운 감성을 불러일으킵니다. 디스플레이 기술의 발달로 해상도는 나날이 향상되어 가지만, 현재의 디스플레이로는 최소한 1200dpi*, 대개 2400dpi 정도의 종이책의 해상도를 따르지 못합니다. 우리 눈에 1200dpi 이상은 거의 의미가 없다고 합니다. 디스플레이와 종이책의 글자에 차이를 못 느낀다고 생각하기 쉽지만, 우리의 눈과 두뇌는 그 차

---

* 도트 퍼 인치(Dots per inch, DPI 또는 dpi)는 인쇄, 비디오, 이미지 스캐너에서 얼마나 많은 점(dot)이 찍히는지를 나타내는 단위이다.

이를 명확하게 인식합니다. 그리고 디스플레이의 거칠고 딱딱한 느낌에 비해서 종이책의 부드러운 느낌은 더 두뇌에 부드럽게 작용하죠. 모니터로 무언가를 볼 때보다 종이로 무언가를 볼 때 좀 더 마음이 편안한 것은 단순히 '감성적인 문제' 만은 아니라는 것입니다.

물리학과 인문학

책의 서두에서 언급했던 거처럼 사전적 의미의 물리학이란 만물의 이치를 탐구하는 학문입니다. 따라서 '물리학이란 무엇인가' 하는 질문은 그 탐구 방법 및 태도가 무엇인지 묻는 것과 다르지 않습니다.

그렇다면 오늘날 '물리학'이라 불리는 학문의 특정한 탐구 방법과 태도는 언제부터 시작되었을까요? 서양 대부분의 학문과 마찬가지로 물리학의 기원 또한 고대 그리스까지 올라갈 수 있습니다. 자연현상을 합리적으로 설명하려는 시도, 다시 말해서 신의 분노를 끌어들이지 않은 채 번개를 설명하거나, 사랑과 증오 같은 감정을 끌어들이지 않은 채 자석의 인력과 척력을 설명하려는 시도는 고대 그리스에서부터 시작되었습니다. 자연의 본질은 무엇이고, 어떻게 그 본질에 접근할 수 있을지 고민했던 자연철학자들의 사상은 과학이 막다른 길에 도달할 때마다 중요한 돌파구가 되어주었던 것이죠. 철학뿐만 아니라 신학 또한 다양한 접점을 통해 과학과 대립하며 서로를 자극했습니다. 그리고 신이 만든 자연을 통해 신을 이해하고자 하는 생각은 서구 과학자들의 연구를 이끈 중요한 동기가 되었습니다.

영국의 과학자이자 소설가인 찰스 퍼시 스노(Charles Percy Snow)는 1959년 한 강연에서 과학자와 인문학자들 사이의 간극을 지적한 바 있습니다. 스노의 비판은 "셰익스피어의 소네트는 알면서 열역학 제2법칙은 모르는", 기초적인 과학 지식에 무지한 당시 영국의 인문 지식인들을 향한 것이었습니다.

이후 책으로 출판된 스노의 '두 문화와 과학혁명'은 과학과 인문학, 혹은 과학자와 인문 지식인 사이의 간극을 문제시할 때 인용되어왔습니다. 특히 우리나라에서는 문과와 이과를 가르는 교육제도를 비판하는 자리에서 자주 언급되기도 하죠.

최근 융합의 중요성이 대두되면서, 스노가 언급한 '과학과 인문학'뿐 아니라 '과학과 예술', '과학과 문화', '과학과 철학', 그리고 과학 내 서로 다른 분야들 간의 협력이 강조되고 있습니다. 새로운 색을 만들어내려는 화가들의 노력이 빛과 색에 대한 아이작 뉴턴(Isaac Newton)의 연구로 이어지고, 찰스 다윈(Charles Darwin)이 경제학자 토마스 맬서스(Thomas Malthus)의 통찰에서 영감을 얻어 자연선택 이론을 정리한 것처럼, 다양한 영역에 걸친 융합적 안목은 자기 분야의 깊이를 위해서도 매우 중요한 덕목입니다.

우리는 21세기, 바야흐로 4차 산업혁명 시대를 살고 있습니다. 즉 연결사회에서 초연결사회로, 지능화에서 초지능화 시대로 변환되는 지점에 서있는 것이죠. 이러한 사회에서는 새로운 지식이나 기술을 창출하는 것도 중요하지만 이미 축적된 다양한 지식과 기술을 융합해 새로운 가치를 창출하는 것이 더 중요합니다. 즉, 개인의 전문적 역량도 상당히 중요하지만, 단편적 지식 혹은 경험만 가지고 일하는 시대가 아니라는 뜻입니다.

이에 따라 주어진 목표를 성실히 달성하는 교육은 서서히 빛을 바래가고 있습니다. 이제는 본인의 개성과 창의성을 살리며, 지속적으로 발전하는 플랫폼들을 활용해 자아실현을 이룰 수 있는 인재가 필요해졌습니다.

중요한 것은 과학문명이 발달할수록 사람이 무엇이며 어떤 가치를 추구하고 살지에 대한 깊은 이해가 요구됩니다. 한층 더 높은 도덕성이 요구되므로 인문학과 인성교육이 더욱 필요하겠죠.

우물을 깊게 파려면 우선 넓게 파야하고 나무의 뿌리가 튼튼해야 큰 풍파에도 쓰러지지 않고 열매를 맺을 수 있습니다. 미래 인재들은 튼튼한 기초 학문을 기반으로 다양한 인문학적 경험을 통해 스스로 갈 길을 찾을 수 있어야 할 겁니다. 그래야 기회와 위협이 산재한 4차 산업혁명의 파도 안에서 풍부한 열매를 맺을 수 있지 않을까요.

3장

과학자들의 시선

최근 저의 관심사는 생명의 탄생입니다. 동물원의 판다 출산과정을 본 뒤로 생명에 경외심이 생겼거든요. 그래서인지 저의 유튜브 페이지에는 아이들이 태어나고 자라는 모습을 담은 육아채널이 많이 뜹니다. 제 눈에는 아이들이 자라는 과정 하나하나가 물리법칙을 깨우쳐가는 과정으로 보이더라고요. 실제로 일상생활의 현상들 중 많은 것들이 물리학 원리를 기반으로 하고 있기 때문입니다. 예를 들어, 우리가 걷거나 뛰는 것에도 모두 물리학의 원리가 적용됩니다. 우리 몸이 앞으로 나아가려면 반드시 뒤로 힘을 가해야 하는데, 이것은 바로 뉴턴의 제3법칙, 즉 작용 반작용의 법칙입니다. 누워있던 아이가 바닥을 기고, 또 일어나서 걷기 시작할 땐 이런 물리법칙을 깨우쳐가는 것이죠. 걸어가던 아이가 넘어질 땐 꼭 손을 땅에 먼저 댑니다. 그것은 몸이 물리학적으로 충격을 분산시키려는 본능적인 반응입니다.

　그러니까, 사실 우리 일상생활은 물리학이 깔려있는 무대와도 같습니다.

과학자처럼 영화 보기

-열역학 제 2법칙, 엔트로피

벽에 총알이 박혀 있습니다. 비어 있는 탄창을 총에 결합하고 벽에 갖다 대자 '탕'하는 소리와 함께 벽에 박혀 있던 총알이 총으로 들어옵니다. 다른 장면에선 요원과 이름 모를 누군가가 사투를 벌이고 있습니다. 주먹을 날리고, 피하고, 멱살을 쥐고 넘어트리는 상황이 이어집니다. 그런데 싸우는 행동이 영 이상합니다. 엎어치기를 했는데 넘어졌던 상대가 내 손을 타고 어느새 어깨에 걸려 있습니다. 쉽게 말해, 영상을 거꾸로 돌리듯, 시간이 거꾸로 흐른 셈입니다. 〈테넷〉이라는 영화에서는 이를 '엔트로피'로 설명합니다.

엔트로피는 열과 온도를 다루는 시스템에서 에너지가 변화하는 양을 뜻합니다. 고등물리 책에선 엔트로피를 설명하기 위해 물에 떨어트린 잉크 한 방울을 예로 듭니다. 모두가 알다시피 물로 떨어진 잉크는 곧 곳곳으로 퍼져 나갑니다. 이렇게 잉크 방울이 물속에서 퍼져 나갈 때, 우리는 '엔트로피가 증가한다.'고 표현합니다. 물론 물에 떨어트린 잉크가 정지해있거나 퍼져나가다 다시 뭉칠 수도 있습니다. 하지만 그럴 확률은 극히 희박하죠. 즉, 일상생활에서는 엔트로피가 증가하는 것이 자연적입니다. 그리고 물리학자들은 이를 '열역학 제2법칙'이라 부릅니다.

열역학 2법칙에 대한 다른 예도 한번 들어봅시다. 방을 청소하고 나서 며칠이 지나면 방은 난장판이 되고, 가지런히 모아둔 책은 조금씩 각이 틀어질 겁니다. 역시 엔트로피가 증가한 셈입니다. 이렇듯 엔트로피의 증가는 시간의 흐름과도 같습니다. 그리고 영화 〈테넷〉은 바로 이 지점에 영화적 상상력을 더한 것이죠. 엔트로피를 감소시킬 수 있다면 시간도 거꾸로 흘러간다는 것입니다.

사실 엔트로피를 감소시키는 게 불가능한 것만은 아닙니다. 상온에서 녹는 얼음은 자연스러운 현상이기에 엔트로피가 증가하지만, 냉동실에서 얼음이 되는 물은 엔트로피가 감소하는 중이거든요. 즉, 외부에서 특정한 '에너지'가 가해지면 엔트로피는 감소할 수도 있습니다. 하지만 냉장고 전체계(system)로 보면 엔트로피는 증가한 것이 맞습니다. 냉장고가 작동하기 위해 외부에서 전력이 가해졌기 때문이죠. 에너지가 쓰인 만큼 원하는 곳의 일부 엔트로피를 감소시킬 수 있었던 것입니다. 위에서 언급한 어질러진 방도 마찬가지입니다. 방을 정리함으로써 엔트로피를 감소시킬 수 있지만, 그건 내가 한 '일'의 대가라는 겁니다.

한때 저는 엔트로피라는 어려운 개념을 쉽게 이해하기 위해 그것을 일상생활에 적용해 보곤 했습니다. 그 중 하나가 사람 관계에서의 엔트로피였습니다. 아무 일도 하지 않으면 관계는 소원해집니다. 자연스럽게 엔트로피가 증가하는 것이죠. 서로의 관계를 유지하기 위해서는 끊임없이 만나고 연락을 해야 합니다. 즉 '일'을 하고 '에너지'를 사용해야 하는 것입니다. 이때 엔트로피는 감소하고 관계는 되살아납니다. 사랑도 마찬가지 아닐까요. 불타는 사랑이 저절로 유지될 순 없습니다. 서로가 꾸준히 노력할 때 비로소 엔트로피가 감소하고 사

랑이 유지될 겁니다. 일도, 사랑도, 우정도 어렵고 힘이 드는 과학적
이유입니다.

시간의 흐름과 관련한 엔트로피

-빛과 투명

세계 최고의 광학 과학자 애드리안은 소시오패스처럼 자신의 아내 에밀리를 괴롭혔고, 결국 에밀리는 그를 떠나 도망칩니다. 애드리안은 자살하지만, 에밀리는 이내 보이지 않는 누군가가 자신의 주변을 맴돌고 있다는 사실을 알아차리고 공포에 몸을 떨죠. 나는 상대가 보이지만 상대는 나를 볼 수 없다면, 혹은 반대의 상황이라면 우리는 과연 어떤 감정을 느끼고 어떤 행동을 하게 될까요? 영화 〈인비저블맨〉은 이러한 상상력으로 만들어진 공포물입니다. 그 이전에는 〈할로우맨〉이라는 영화도 있었네요.

허무한 이야기로 들릴지 모르지만 투명인간은 아직까지는 과학 밖의 영역입니다. 〈할로우맨〉에 등장하는 것처럼 세포를 비롯해 DNA까지 투명하게 만드는 약물은 아직 개발되지 않았습니다. 다만 현대 과학에선 투명 인간까지는 아니더라도 투명한 뼈, 투명한 뇌를 만드는 것은 성공했다고 알려져 있죠. 물론 살아있는 생물에는 적용할 수 없지만 투명인간과 가장 비슷한 연구로 꼽힙니다.

이처럼 생명체를 투명하게 만드는 일은 과학적으로 '아직까지는' 허무맹랑하지만 영화 〈해리포터〉에 등장하는 투명망토는 충분히 가능한 일입니다. 투명망토는 최소한 현대 과학으로 설명이 되거든요. 투명망토의 아이디어는 대부분의 물체는 빛을 반사시킨다는 기본적인 현상에서 비롯되었습니다. 과학자들은 여기서 힌트를 얻었는데, 굴절률을 조절해 빛을 반사시키지 않고 돌아나가게 하면 투명한 물질을 만들 수 있지 않을까 생각한 겁니다. 그리고 그 투명한 물질 안에 감추고 싶은 물체를 넣어두면, 그게 투명망토가 되는 것이죠.

2000년대 초반 미국 연구진은 실제로 이를 구현하는데 성공하기도 했습니다. 사람이 인위적으로 만든 이 물질은 빛을 반사시키지 않고 뒤로 흘려보냅니다. 이 물체 앞에 사람이 있다면, 빛은 물체를 지나쳐 다른 물체에 반사된 뒤 사람의 눈으로 들어오게 되겠죠. 연구진은 이 물체에 '메타물질(Metamaterial)'이라는 이름을 지었습니다.

투명인간, 투명망토 모두 빛과 관련된 부분입니다. 이쯤 되면 왜 〈인비저블맨〉에 등장하는 천재 과학자가 광학을 전공했는지 이해가 됩니다. 언젠가 투명망토가 상용화 되고, 투명인간이 나타나더라도 공포영화의 한 장면이 아닌 우리사회에 긍정적인 역할을 해주길 바래봅니다.

-2차원 물질

2015년 10월 21일은 특별한 날이었습니다. 1989년 개봉한 영화 〈빽 투 더 퓨처2〉가 예언한 날이거든요.

비록 시카고컵스는 우승하지 못했고 자동차는 여전히 하늘을 날지 못합니다. 하지만 1985년을 살던 주인공 마티와 그의 여자 친구 제니퍼가 가장 놀라는 장면 중 하나가 평면TV를 봤을 때라는 것을 감안하면 30년 전 예언한 현재의 모습은 상당히 비슷합니다.

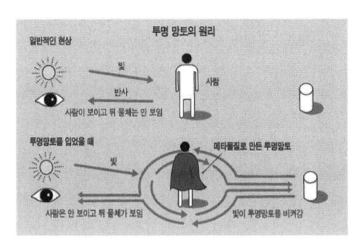

투명망토의 원리
그림출처: ibs 기초과학연구원 홈페이지

    2002년 개봉한 영화 〈마이너리티 리포트〉는 2054년을 배경으로 합니다. 눈썰미가 좋다면 그 영화에서는 투명한 터치 디스플레이가 유난히 자주 등장한다는 것을 발견할 수 있을 겁니다. 주인공 존 앤더튼은 손가락으로 터치 스크린을 조작하며 범죄가 일어나는 곳의 상황을 살피고, 무기를 비롯해 TV, 카메라, 커다란 전광판 등 모든 기기가 투명합니다. 접히고 휘어지는 디스플레이는 미래사회의 거의 모든 전자기기에 적용되는 듯합니다. 1985년과 2002년 개봉한 두 영화가 예상한 미래 사회의 모습 중 가장 큰 차이점은 바로 디스플레이의 진화입니다. 1980년대 사람들은 전자기기에 사용되는 반도체가 '딱딱하다'고 생각했지만 2000년대 사람들은 '휘어질 수 있다'라는 가능성을 확인한 것이죠. 바로 이곳에 2차원 물질이 숨어있습니다.

　2차원 물질이란 단 한 겹의 원자로 이루어진 소재를 말합니다. 흔히 반도체로 사용하는 실리콘은 3차원인데, 형태가 정해져 있기에 딱딱하고 저장할 수 있는 공간에도 한계가 있습니다. 반면 2차원 물질을 반도체로 활용할 수 있다면 마이너리티 리포트의 상상력도 현실이 될 수 있습니다. 종이처럼 돌돌 말 수 있는 디스플레이, 접이식 태블릿PC 등을 만들 수 있다는 겁니다.

　사실 2차원 물질이 각광받기 시작한 것은 2004년 그래핀이 발견되고부터입니다. 영국 맨체스터 대학 안드레 가임(Andre Geim) 교수는 흑연을 스카치 테이프에 올려놓고 반복해서 붙였다 떼는 방법으로 그래핀을 발견, 관찰했습니다. 하지만 한계가 존재했죠. 그토록 원하던 2차원 물질을 찾았지만 "그래핀은 반도체로 활용하기 어렵다"는 말이 들려왔습니다. 이유는 바로 '밴드갭(band-gap)'이었습니다. 밴드갭이란 전자가 존재하고 있는 가장 높은 에너지 준위인 밸런스밴드(balance band)*와 전자가 존재하지 않는 가장 낮은 준위인 컨덕션밴드(conduction band)**의 에너지 차이를 의미합니다. 물질은 밴드갭의 크기에 따라 전도체, 반도체, 절연체로 구분되는데, 밴드갭이 작을수록 물질은 전도체에 가까워집니다. 전자의 이동을 좌지우지 할 수 있는 장벽이 바로 밴드갭 이라는 얘기죠. 하지만 그래핀은

---

* 원자의 최외각 전자가 모여 있는 영역이다.

** 원자의 최외각 전자가 에너지를 얻어 이동할 수 있는 영역이다.

이런 밴드갭이 없어 전기적 신호를 통해 전류의 흐름을 통제하기 어려웠습니다. 원할 때 켜고 끄는 전자기기에 활용하기에는 치명적인 단점인 셈입니다.

이후 학자들은 그래핀을 두 겹으로 쌓거나 리본 형태로 만들고, 다른 원자를 첨가하는 등의 시도들을 하는데, 이는 모두 그래핀에 밴드갭을 만들어 반도체로 활용하기 위한 방안입니다. 그리고 현재에도 2차원 물질에 대한 학계의 기대감은 멈추지 않고 다양한 물질들을 합성시키고 있습니다. 이처럼 다양한 기초연구가 진행되고 있는 만큼 2054년 우리는 돌돌 마는 투명 디스플레이로 〈마이너리티 리포트〉시청할 수 있지 않을까요.

마이너리티 리포트
그림출처: 영화 '마이너리티 리포트'

-첨단과학의 끝판왕, 우주

이곳에서 벌어지는 모든 일은 지구의 환경과 다릅니다. 중력이 없다 보니 위와 아래가 따로 존재하지도 않습니다. 누구나 갈 수 없기 때문에 신비로운 곳, 하지만 그만큼 위험한 곳, 바로 '우주'입니다. 국제 우주 정거장(ISS; International Space Station)에서 촬영을 했다는 사실만으로도 뜨거운 관심을 받은 영화가 있는데, 바로 〈그래비티〉입니다. 그래비티는 우주 공간에서 허블 망원경을 고치던 과학자들이 우주 쓰레기로 인한 위기에 처하는 상황을 담고 있습니다. 우주 쓰레기란, 인간이 남긴 흔적이 지구 주변을 돌고 있는 것을 말하죠. 기한이 지난 인공위성을 비롯해 발사체에서 떨어져 나온 부품 등 수많은 우주 쓰레기는 지구 주변을 빠른 속도로 돌며 ISS를 위협합니다.

실제로 지구를 벗어난 우주는 상당히 위험합니다. 우주 쓰레기의 속도는 초속 7-11km에 달할 정도로 빠르고, 지름 10cm 달하는 작은 부품은 영화에서처럼 인공위성 하나를 먹통으로 만들어 버릴 수 있습니다. 실제로 ISS는 우주 쓰레기를 피하기 위해 10여 차례나 이동한 적이 있을 정도라고 합니다. 또한 2011년 6월에는 이를 피해 우주인들이 탈출용 우주선을 타고 대피한 적도 있었다고 알려져 있습니다.

영화 〈그래비티〉는 ISS에 있는 우주인의 삶을 가장 현실적으로 표현한 영화로도 꼽힙니다. 하지만 실제 무중력 상태에서 영화 촬영을 할 수는 없었기에, 촬영진은 무중력 상태를 표현하고자 12개의 와이어를 배우의 몸에 연결, 자연스럽게 움직이는 모습을 연출했다고 합니다. 때문에 영화 촬영에 걸린 시간은 무려 5년이나 된다고 하죠. 다만 진짜 무중력 상태가 아니다 보니 여담으로 배우 산드라 블록(Sandra Bullock)의 머리카락이 매우 단정하다는 옥의 티가 생기기도 했습니다. 실제 무중력 상황에선 머리카락이 사방으로 흩어질 테니까요.

〈그래비티〉의 또 다른 옥의 티는 우주인들이 허블 망원경에서 중국의 우주 정거장인 톈궁으로 이동하는 장면입니다. 드라마틱해서 손에 땀을 쥐게 하는 장면이지만 실제로는 어림도 없는 일이거든요. 허블 망원경은 고도 559km에서 경사각 28.5도를 유지하며 지구를 돌고 있습니다. 중국의 톈궁은 고도 417-420km에서 경사각 51.65도로 돌고 있는데, 이 둘은 높이 차만 140km에 달합니다. 우주에서 조난당한 우주인이 눈으로 톈궁을 발견하고 이동하는 일 또한 불가능합니다. 실제 과학자들은 이 정도 거리라면 밝게 빛을 내지 않는 한 검은 우주에선 아무것도 찾을 수 없다고 이야기합니다.

하지만 이러한 일부 옥의 티를 고려하더라도 ISS에서 직접 영화를 촬영했다는 점은 꽤 높은 평가를 받을 만합니다. 앞서 언급한 것처럼 ISS는 언제나 위험에 노출돼 있고, 실제로 지난 2015년 6월 21일 NASA는 ISS에 적색 경고를 보낸 바도 있거든요. 폐기된 위성과 부딪칠 가능성이 있었기 때문입니다. 당시 기록을 보면, 위성충돌 가능성을 6시간 전에만 알았다면 ISS의 위치를 조정할 수 있었지만, 발견 당시엔 이미 충돌 2시간 밖에 남지 않은 상황이었다고 합니다. 당시

ISS에 머물렀던 미국 우주인 스콧 켈리(Scott Kelly)는 그의 저서 '인
듀어런스(Endurance)'에서 당시 상황을 이렇게 묘사하고 있습니다.

「러시아식 대처법은 될 대로 되라며 생애 마지막 20분이 될지 모르는 시간에 점
심을 먹는 것이었다. 나도 동료들이 먹고 있는 캔을 하나 얻어먹었다. 만약 충돌
했다면 1000분의 1초 만에 우주인들은 낱낱이 원자로 쪼개져 사방으로 흩어졌
을 것이다.」

이렇듯 우주란 많은 위험이 도사리고 있기에 아무나 갈 수 없고, 그
렇기에 더욱 궁금한 영역인 듯합니다.

영화 그래비티
그림출처: 영화 '그래비티'

-마법과 과학

영화 〈닥터 스트레인지〉에서 유능한 의사였던 스트레인지는 불의의 사고로 인해 손가락이 박살나고 맙니다. 의학적 지식을 총 동원해 재활을 꿈꾸지만 쉽지 않죠. 절망에 빠질 때쯤 그는 자신처럼 재활이 불가능했던 사람이 히말라야를 다녀온 뒤 정상적인 생활을 하고 있다는 것을 알고 가진 돈을 모두 털어 카마르 타지라는 곳으로 향합니다. 과학을 믿는 스트레인지였지만 그곳에서 에인션트 원이라는 마법사를 만난 뒤 혼란에 빠집니다. 이 지점 때문에 저는 처음 〈닥터 스트레인지〉를 본 뒤 꽤 강한 혹평을 남겼습니다. 기대했던 마블 영화가 아니었기 때문입니다. 마블은 공상과학 영화지만 일정 부분 과학적인 내용을 곳곳에 숨겨놓는다는 점에서 매력적입니다. 〈아이언맨〉도 현실에서 불가능하지만, 과학 기술의 발전으로 언젠가는 가능하리라는 믿음 때문에 영화가 더욱 즐겁게 느껴지죠. 〈어벤져스〉를 보며 즐거워했던 이유 역시 손에 잡힐 듯 한 과학 기술적인 요소들이 곳곳에 보였기 때문입니다. 하지만 〈닥터 스트레인지〉에서는 과학 기술을 능가하는 마법을 선보이며 적어도 저의 혹평을 받았었습니다.

하지만 인생영화로 꼽는 〈아바타〉엔 이런 대사가 나오기도 합니다, "너희가 과학이라 부르는 것, 우리의 마법과 비슷하다". 어쩌면 과학과 마법은 종이 한 장 차이일지 모르겠습니다. 과학 기술의 무한한 발전이 마법과 같은 일을 해내기 때문이겠죠. 21세기를 살아가는 우리의 일상이 어쩌면 이전 세대의 인류는 상상조차 어려웠을 마법 같은 일이라면, 오늘 하루 신나고 행복할 이유로 충분하지 않나요?

영화 닥터 스트레인지

그림출처: 영화 '닥터 스트레인지'

예술에서 보는 과학

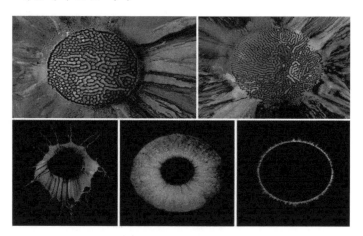

그림출처: http://fabianoefner.com

앞선 사진들을 보고 무엇을 떠올렸나요? 예술? 자연? 과학? 놀랍게도 이 사진들은 액체자석(ferrofluid), 사운드웨이브, 자기장, 원심력, 압축 효과 등을 이용한 과학현상을 예술로 표현한 것 입니다. 스위스에서 시작된 이 프로젝트에서 파비안 오프너(Fabian Oefner) 작가는 우리와 늘 함께하지만 눈에 보이지 않는 과학이 얼마큼 아름다울 수 있는가를 보여주고자 했다고 합니다. 실제로 그의 작업들은 철저히 계산된 과학을 기반으로 합니다. 그렇다면 과학적으로 현상을 분석하고 물질을 연구하는 그를 과학자로 불러야 할까요, 예술가로 불러야 할까요? 그들은 왜 과학의 아름다움을 보여주기 위해 예술의 이름을 가져왔을까요?

이러한 질문을 바탕으로 본 글에서는 예술과 과학이 융합을 이루게 된 배경과 두 영역의 조화를 시도한 작품들을 살펴보고, 예술과 과학이 융합적으로 갖는 의미를 찾아보려 합니다.

현대 과학과 미술은 그 속도를 따라가기 힘들 정도로 새로운 것을 내어놓느라 분주합니다. 근대 사회에선 과학과 예술을 대립된 분야로 규정짓고 독자적인 영역으로 구축한 반면에, 현대엔 과학과 예술의 융합이 도리어 주목받고 있습니다. 과학적 방법을 끌어들이는 예술, 예술이 던지는 질문에 답하는 과학, 예술이 주는 카타르시스를 분석하고 연구하는 과학 등을 통해 장르의 융합을 꾀하고 있는 것이죠.

게다가 첨단 과학 기술은 예술에 새로운 소재와 기법을 제공하는 근간이 되기도 합니다. 포스트모던 미술의 장을 연 마르셀 뒤샹

(Marcel Duchamp)은 예술계의 부조리함을 풍자하는 방법으로 공장에서 찍어내는 변기를 예술화한 '샘(Fountain)'과 같은 레디메이드(ready-made) 오브제를 선보였고, 팝 아티스트 앤디 워홀(Andy Warhol)은 대량생산 체제와 시대상을 반영하는 방식으로 기계화된 예술을 택했습니다. 또한 비디오 아트의 선구자이자 미디어 아트의 시대를 열었던 백남준은 실제로 "나는 기술을 증오하기 위해 기술을 사용한다."라고 말했죠.

그림출처: 백남준 아트센터

사실 과학과 예술이 융합한 것은 비단 현대의 이야기만은 아닙니다. 과학과 예술이 둘 다 창조와 창의력을 근간으로 하는 활동이라는 점에서 역사적으로 그 둘은 함께할 수밖에 없는 운명이었습니다. 르네상스 시대 천재 예술가이자 과학자였던 레오나르도 다빈치(Leonardo da Vinci)는 건축, 해부학, 과학, 미술 등을 통합하여 〈모나리자〉, 〈최후의 만찬〉 등의 시대의 걸작을 남겼습니다. 건축가 필리포 브루넬레스키(Filippo Brunelleschi)는 유클리드 원근법을 발명하여 피렌체의 산타마리아 델피 오레 대성당의 돔을 짓는 등 시대의 대가들은 예술과 과학을 넘나드는 작품을 만들어냈죠.

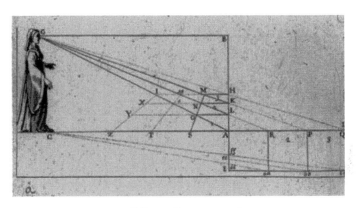

그림출처: http://www.scielo.br/

과학과 예술은 인간만이 그 깊이를 더하고 확장할 수 있는 활동입니다. 동물은 도구를 사용할 수는 있지만 과학자와 같이 의문을 가지고 가설을 세우고, 실험을 진행하고, 수정하고 결론을 도출하지는 못하기 때문입니다. 인공지능 컴퓨터라 해도 과학 논문을 스스로 써내거나 작품을 창조하는 데에는 한계가 있죠. 일부 사람들은 예술은 상상과 창조의 과정이라고만 생각하지만, 예술의 영역에서 작가가 구현하려 하는 작품이나 프로젝트는 기존의 매체나 도구 같은 현실적인 상황이 뒷받침되어야 합니다. 예술가들은 세상을 있는 그대로 찍어내는 활동이 아닌, 사회와 현상에 대한 재해석을 도모하기 위해 아이디어를 세우고, 작업에 필요한 여러 매체들을 조율하고 수정하고 재창조합니다. 이런 현실을 이해하고, 아이디어를 가장 효율적으로 시각화할 수 있는 재료와 기법을 찾고, 나아가 더 나은 재료와 기법을 찾기 위해서는 예술가들에게는 과학적인 이성의 힘이 필요하지 않을까요.

인간의 창의성이 사라지지 않는 한 과학과 예술은 새로운 창조의 과정을 지속할 것입니다.

자연에 숨은 과학

-푸른 하늘

바쁜 현대인들은 일상 속에서 하늘 한 번 올려다보기가 힘듭니다. 여러분은 하루에 하늘을 몇 번이나 올려보나요?

저는 여러 가지 이유를 들어 하늘을 보곤 합니다. 마음을 다잡기 위해 보기도 하고, 속상해서 보기도 하고, 누군가 그리워서 보기도 하죠. 파랗고 청명한 하늘을 바라보면 상쾌한 기분이 느껴지기도 하고, 붉은 노을을 바라보면 이과생 가슴에도 감성이 피어나더라고요. 하늘이 파랗고 노을이 붉은 사실은 어릴 때부터 당연한 일이었겠지만, 과연 하늘이 왜 파랗고 노을이 왜 붉게 보이는지 궁금해 한 적은 있으신가요?

하늘색에 대해 설명하기 위해서는 우선, 빛의 특성들을 이해할 수 있어야 합니다. 여러 거창한 특성들이 아니더라도, 단순히 우리가 어떤 물체를 볼 때, 그 물체에 반사된 빛이 우리 눈에 들어오는 과정 정도만 이해하면 됩니다. 우리가 물체를 볼 수 있는 것은 물체에 빛이 반사되어서 우리 눈에 들어오기 때문입니다. 빛이 물체에 반사되지 않는다면, 우리 눈에 그 빛이 들어오지 못하기 때문에 결론적으로 그 물체를 볼 수가 없게 되는 것이죠. 빛이 반사되지 않고 모두 흡수되어 버리는 블랙홀이 그 예입니다.

결국은 물체가 빛을 반사시키거나, 빛을 내뿜는 광원에서 우리 눈에 직접적으로 빛을 쏴 주어야 우리 눈으로 특정한 물체를 볼 수 있게 되는 것인데, 보통 빛의 산란이라 함은 물체의 울퉁불퉁한 표면이나 작은 입자들에 의해 빛이 난반사되어 사방팔방으로 흩뿌려지는 현상을 지칭합니다.

거울같이 표면이 매끈한 물체의 경우, 빛이 정반사되기 때문에 우리는 거울에 비친 우리의 모습을 볼 수 있게 되는 것입니다. 그와 반면, 일반적인 다른 물체들의 경우, 미세하게 보면 표면이 울퉁불퉁하기 때문에, 정반사가 아닌 난반사가 일어납니다. 굳이 미러볼처럼 거울을 다닥다닥 붙여놓은 형상이 아니더라도 거울처럼 매끈하여 마주 보는 곳이 반사되어 보이는 물체 이외에는 모두 난반사가 일어나고 있는 것이죠.

또한 빛은 항상 공간 내에서 최단 시간을 따라 이동하려는 성질이 있습니다. 이는 빛의 직진성이며, 빛은 시공간이 휘어져있지 않은 이상 본질적으로 이러한 직진성을 갖고 있습니다.

빛의 산란(Light Scattering)이란 이러한 직진성을 가진 빛이 거친 표면이나 아주 미세한 입자들에 의해 사방팔방으로 흩뿌려지는 현상인 것입니다.

이렇게 빛이 산란되는 과정에서 물질은 그 구성성분에 따라 특정한 영역의 빛을 흡수하고. 그 이외의 빛은 반사시킵니다. 예를 들어, 바나나의 경우는 노란색의 빛을 반사시키고, 그 이외의 영역의 빛은 모두 흡수하는 것입니다.

결국 어떤 물체가 특정한 색으로 보인다는 건 특정한 색 이외의 모든 색을 흡수하기 때문인 것이죠. 그렇기에 반사되는 색을 그 물체의 고유의 색으로 봅니다. 그렇다면, 하늘이 파랗게 보이는 이유는 하늘이 다른 색을 흡수하고 파란색 빛을 산란시키기 때문일까요?

이 물음에 대해서는 좀 더 깊이 있게 들어가야 합니다.

과거 철학자, 과학자들은 하늘이 파랗게 보이는 이유에 대해 수많은 가설을 제시해왔으며, 그중에서도 가장 정확하고 체계적으로 설명할 수 있는 모델은 1871년이 되어서야 등장하게 되었습니다. 바로 물리학자 존 윌리엄 스트럿 레일리(John William Strutt Rayleigh) 의 이름을 딴 레일리 산란입니다.

　레일리는 가시광선이 가지고 있는 파장보다 작은, 매우 작은 미립 자가 빛을 산란시킬 수 있다는 사실을 알아냅니다. 대기 중의 입자(주 로 질소나 산소)가 가시광선의 파장 크기보다 작기 때문에, 태양에서 출발해 대기로 들어오는 빛은 대기층에 부딪히며 마치 레이저의 경 로에 물 분자가 레이저를 산란시키듯 파란색 영역을 산란시키고 이 때문에 우리는 청명하고 푸른 하늘을 볼 수 있게 되는 것입니다. 반면 에 대기가 없는 달에서는 태양빛을 산란시킬 수 있는 입자가 없기 때 문에, 하늘이 어두컴컴해 보입니다.

　또한, 아주 작은 미립자는 가시광선의 파장이 짧으면 짧을수록 즉, 에너지가 높으면 높을수록 더 많이 산란시킵니다. 그렇기에 스펙트 럼에서 에너지가 높고 파장이 짧은 푸른빛 계열이 하늘에서 많이 산 란되고, 그렇기에 우리가 볼 수 있는 하늘이 파랗게 물 들어지는 것이 죠. 그리고 같은 이유로 해 질 녘이나 동이 틀 때 하늘이 붉게 보입니 다. 태양이 머리 위에서 직선으로 대기층을 뚫고 산란되며 들어올 때 에 비해, 태양이 뜨거나 질 때 뚫고 들어오는 대기층이 더 두껍기 때 문에, 파란색의 빛이 이미 앞에서 많이 산란되어 상대적으로 적게 산 란되는 붉은 계열의 빛이 눈에 들어오게 되는 것입니다.

　그렇다면, 혹시 가을 하늘이 더 높고 푸르게 보이는 이유 역시 레일 리 산란으로 설명할 수 있을까요?

이는 레일리 산란이 아닌 '미 산란(Mie Scattering)'으로 설명할 수 있습니다.

미 산란은 빛의 파장이 비슷하다는 가정 하에 입자 밀도, 크기에 따라서 산란되는 것과 관련된 산란입니다. 빛의 파장보다 입자 크기가 더 큰 경우 적용되는 개념이기도 하죠.

여름철에는 가을이나 겨울철보다 기온이 상대적으로 높습니다. 그렇기에 상대적으로 대기 중의 수증기가 더 많고, 미세먼지와 에어로졸로 대표되는 산란자가 더 많은 것입니다. 반면에, 가을철과 겨울철에는 건조하여 대기 중의 수증기량이 더 적습니다. 때문에 여름 하늘이 미 산란으로 인해 상대적으로 더 뿌옇게 보이고, 가을 하늘이 더 쾌청하고 푸르고 높게 보이는 것입니다.

이제 하늘이 파란 이유도 알게 되었으니, 이렇게 아름다운 하늘을 간간히 올려다보며 여유를 가지시길 바랍니다.

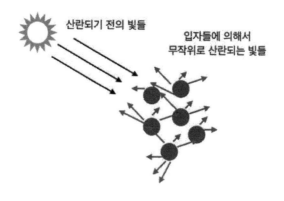

-피사의 사탑

1989년 3월, 이탈리아의 북부 파비아에서 25층짜리 중세 종탑이 붕괴했습니다. 4명이 사망하고 15명이 중상을 입는 큰 사고였습니다. 붕괴의 원인은 굉장히 다양하고 종합적이었습니다. 종탑 안에 계단을 만들기 위해 벽을 굴착한 것과 이로 인해 무게가 늘어났다는 점, 지반이 수세기에 걸친 물의 침투로 약해졌다는 점, 종탑을 약하게 만든 온도나 습도의 변화, 원인 모를 화학작용 등이 모두 거론되었으나 정확한 원인이 규명되지 않았습니다.

그 당시 이탈리아는 난리가 났습니다. 파비아 종탑의 붕괴는 피사의 사탑 안전에 경종을 울렸거든요. 그래서 이탈리아 중부에 있는 피사의 사탑은 문을 닫고 보수를 시작했습니다. 피사의 사탑은 높이가 56.67m, 계단이 297개, 무게는 1만4500t인 대리석 건축물입니다. 1173년 피사의 사탑을 건설할 당시에는 탑의 지반이 위치하는 남쪽 3m 깊이의 모래와 점토가 북쪽에 비해 더 약하고 부드럽다는 걸 몰랐다고 합니다. 이 때문에 탑이 남쪽으로 기울기 시작했던 것이죠. '피사(pisa)'라는 단어 자체도 늪의 땅을 뜻하는 그리스어에서 유래했다고 합니다.

탑의 3층이 세워질 무렵 뭔가 잘못돼 가고 있다는 걸 인식했으나 멈출 순 없었습니다. 그래서 4층부터 8층까지 5개 층은 탑이 안정적이도록 무게중심을 맞춰 가며 쌓아올렸습니다. 그 기간은 200년이나 되었고 이로써 약간 휜, 말 그대로 기울어진 탑이 만들어졌습니다. 이후에도 피사의 사탑은 꾸준히 기울어졌죠. 수직을 기준으로 5m가량 벗어난 것입니다.

1990년 공학기술자들은 무거운 종을 제거하면서 피사의 사탑 3층을 강철 케이블로 감쌌습니다. 기운 방향의 반대편인 북쪽으로 바로잡기 위한 사전 작업이었습니다. 특히 북쪽 지반의 모래, 물, 점토를 제거하고 피사의 사탑 무게 스스로 바로 서도록 했습니다. 콘크리트로 보강하는 작업도 병행했다고 합니다. 이 과정은 무려 10년 걸렸고 3000만 유로(약 385억 원)나 들었습니다. 이로써 탑은 45cm 정도 바로 섰다고 합니다. 게다가 그 다음 2001년부터 현재까지 피사의 사탑은 스스로 다시 바로 서는 기울어짐의 과학을 보여줬습니다. 최근 피사의 사탑을 조사한 연구에 따르면 이제 피사의 사탑은 수직을 기준으로 4.1m정도 기울어 있다고 합니다.

피사의 사탑이 바로 선 원리는 다음과 같습니다. 매우 부드러운 스펀지 위에 돌이나 쇠로 된 탑을 최대한 바로 층층이 쌓는다고 생각해 봅시다. 스펀지는 무게에 해당하는 만큼 압축됐다가 다시 원상태로 돌아올 수 있습니다. 그런데 아무리 똑바로 탑을 하나씩 쌓더라도 언젠가 탑이 기울고 쓰러지는 걸 보게 될 겁니다. 탑의 한쪽에 힘을 주면 기울어짐은 가속화하고 빠르게 무너지게 됩니다. 이 지점에서 몇 개를 쌓았고 어디가 무게중심인지를 알아낸다면 반대편으로 힘이 더 실리도록 조정할 수 있습니다. 특히 바닥을 반대편으로 눌러주면 더 쌓지 않고도 무게중심을 이동시킬 수 있죠.

신기한 건 피사의 사탑이 공학적으로 무너지는 지점 바로 그 층의 높이까지만 딱 세워졌다는 사실입니다. 피사의 사탑은 무게중심이 남쪽으로 편향돼 아주 천천히 긴 시간 속에서 기울어졌습니다. 어느 탑이든 지반이 말랑말랑하면 지탱하는 힘에 균열이 생깁니다. 피사의 사탑이 조금만 더 높았으면 어땠을까요? 아마 오래전에 무너졌을 것입니다.

건물만 튼튼하다고 기울어짐이 없는 건 아닙니다. 특히 현대에 이르러 지진 등 땅속의 물과 모래가 분출돼 그만큼 공간이 생겨 건물이 기우는 경우가 빈번히 일어나고 있습니다. 일본의 경우 홋카이도 지진 때 콘크리트로 물이 새어 나오는 액상화 현상으로 도로가 파이고 건물이 기울었죠. 반면 피사의 사탑은 모래 같은 연성 지반이라 지진에 유연하게 대처했을 것이라는 분석도 있습니다.

피사의 사탑

사실 전 세계적으로 피사의 사탑같이 기울어짐의 과학을 보여주는 사례는 많습니다. 중국의 후추 탑이나 독일의 주르후젠 교회 사탑과 바트프랑켄하우젠 교회 사탑은 6도 내로 기울어 있습니다. 피사의 사탑 역시 약 5도 기울어짐에서 안정을 찾았습니다. 물론 과학적인 요소 외에도 관광객 수 등 고려해야 할 요소가 많기 때문에 우리가 언제까지 피사의 사탑을 볼 수 있을지는 아무도 모를 일입니다.

-버뮤다 삼각지대

버뮤다 삼각지대(Bermuda Triangle)는 대서양의 버뮤다와 푸에르토리코, 미국의 플로리다의 끝부분을 이어 만들어지는 삼각형 모양의 구역을 말합니다. 대략 북위 20도에서 40도까지, 서경 55도에서 85도에 이르는 400만 제곱킬로미터의 면적을 차지합니다. 이곳은 수많은 선박과 항공기의 사고 또는 실종으로 세계 불가사의 논쟁에서 빠지지 않는 곳 유명한 곳입니다. 그 덕분에 '마의 삼각지대(Devil's Triangle)'라고 불리기도 하죠.

수백여 년 간 이 곳에서 일어난 수많은 사고와 실종은 아직도 그 원인이 밝혀지지 않고 있습니다. 버뮤다 삼각지대의 악명이 최초 등장한 것은 지난 1492년 10월8일 콜럼버스가 이 지역을 지날 때 갑자기 나침반이 이리저리 움직이기 시작했다는 기록에서부터 시작됩니다. 1925년 4월18일에는 일본의 화물선 리히후쿠마루호가 흔적도 없이 사라졌습니다. 당시 선원들의 시체는커녕 선체의 파편조차 찾지 못했습니다.

1945년 12월5일엔 비행훈련에 나선 미국의 해군 폭격기 5대와 승무원 14명이 2시간여 만에 사라진 일도 있습니다. 뿐만 아니라 사라진 항공기를 찾기 위해 출동한 비행정도 행방불명됐다고 하죠. 이 사건을 두고 1950년 9월 마이애미 헤럴드 기자 에드워드 존스(Edward Jones)가 이 지역을 '마의 삼각지대'라는 명칭으로 보도하면서 버뮤다 삼각지대는 유명해집니다.

1949년 항공기 스타 아리엘, 1950년 화물선 엘 스나이더호가 잇 따라 실종됐고, 1973년에는 2만 톤급의 노르웨이 화물선 아니타호가, 2008년에는 승객과 승무원 238명을 태운 에어프랑스 여객기가 실종되는 등 알려진 사건만 15건이 넘습니다.

미스터리한 사건들이 잇따르면서 '4차원의 문', '악마의 소행', 'UFO 해저 기지', '타임 터널' 등 온갖 추측과 억측이 난무했고, 언론과 호사가들로부터 사실이 부풀려 지거나 왜곡되자 과학자들도 검증에 나섰습니다.

여러 가지 가설 중에서 가장 설득력을 얻었던 것은 '메탄가스 설'입니다. 1998년 지구의 구조와 진화를 밝혀내기 위해 수많은 과학자들이 모여 심해를 굴착하던 중 심해저에 메탄하이드레이트*층이 존재한다는 사실이 밝혀집니다. 2001년 미국 해군대학원 브루스 디나르도(Bruce DiNardo) 교수는 이 메탄층에서 발생하는 가스가 미스터리한 실종의 원인일 것이라고 분석했습니다.

디나르도 교수는 "메탄가스에 의해 물속에 많은 기포가 생기면 물의 밀도가 낮아지기 때문에 물 위에 떠 있던 물체가 갑자기 가라앉을 수 있다"고 주장합니다. 2010년 8월엔 호주 모내시대학교 조세프 모니건(Joseph Monaghan) 교수가 미국물리학회에 "버뮤다 삼각지대의 선박항공기 실종 원인은 메탄가스로 인한 자연현상 때문"이라는 논문을 발표하기도 했습니다.

---

* 높은 압력과 낮은 온도에서 퇴적층의 메탄가스, 천연가스 등이 물과 결합해 형성된 고체 에너지원이다.

모니건 교수는 "해저의 갈라진 틈에서 발생한 거대한 메탄거품이 대량 수면으로 상승하면 사방으로 팽창하는 거대한 메탄거품이 생기는데 선박이 이 메탄거품에 붙잡히면 즉시 부력을 잃고 바다 밑으로 가라앉는다"는 가설을 주장합니다. 항공기의 경우는 엄청난 양의 메탄가스가 하늘에 떠 있는 항공기의 엔진에 불을 붙여 추락하게 된다고 주장한 것이죠. 그렇지만 모니건 교수의 주장은 가설일 뿐 증명되지는 않았습니다. 메탄거품이 언제 발생하는지, 발생을 막을 방법은 없는지 등에 대해서 밝혀진 바가 없기 때문입니다.

'지구 자기장 변화설'도 나름 주목 받았습니다. 지구 자기장은 20-25년마다 바뀌기 때문에 자기적인 지진이 갑자기 발생할 수 있다는 가설입니다. 지구 자기장은 지구 중심부에 존재하는 액체와 비슷한 상태의 물질이 움직이면서 생기는데, 실제로 버뮤다 삼각지대는 자기장이 불안정한 지역입니다. 그래서 자기적인 지진이 갑자기 발생하면 주위를 지나는 선박이나 항공기가 바닷속으로 빨려 들어간다는 주장인 것이죠.

호주의 과학자 칼 크루스젤니키(Karl Kruszelnicki)는 버뮤다 삼각지대의 사건들은 미스터리가 아닌 기상재해나 인간의 실수가 만들어낸 사고일 뿐 이라고 단언하기도 했습니다. 그는 "통계학적으로 분석해보면 이 지역이 다른 비슷한 지역에 비해 사고가 더 많이 나는 지역이 아니다"면서 위험한 파도절벽과 메탄가스의 분출 등은 이 지역만이 아니라 지구 바다 전역에서 나타나는 현상이라고 강조했습니다. 또한 미국 해양대기청(NOAA)도 2014년 "버뮤다 삼각지대의 사고는 나쁜 날씨와 항해 실수로 인한 문제일 뿐"이라면서 "항해하기 좋은 다른 바다보다 이 지역의 사고 빈도가 높다고 볼 수도 없다"고 밝혀 각종 의혹들을 일축했습니다.

실제로 미국 해안경비대는 버뮤다 삼각지대 사고를 우연으로 결론짓고 있으며 항해 위험지역으로 분류하지도 않습니다. 특히 미국과 중미 지역의 보험회사들도 이 지역을 통과하는 선박이나 항공기에 대해 할증요금을 받지 않습니다. '과학적으로' 버뮤다 삼각지대는 다른 지역과 다를 바 없는 지극히 평범한 바다 일뿐'이라는 것입니다. 하지만 이곳에서 일어난 여러 사건들 덕분에 인류가 상상할 수 있는 '과학적인' 영역이 더 넓어진 건 사실인거 같네요.

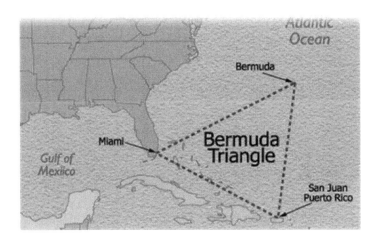

버뮤다 삼각지대

-울돌목

천만관객을 돌파했던 최민식 주연의 영화 '명량'은 이순신 장군의 해전을 그린 영화입니다. 명량대첩은 1597년 진도 앞바다에서 불과 12척의 배로 왜군 330척을 물리친 전투죠. 당시 선조는 이순신 장군에게 다시 나라를 위해 싸워달라며 이순신 장군을 수군통제사로 재임명했고, 나라의 부름을 받은 이순신 장군은 남아 있는 12척의 배로 지형적 환경과 치밀한 심리전을 이용해 왜군을 크게 무찌르고 해상권을 회복했습니다.

수적으로 불리할 수밖에 없는 상황에서 이순신 장군은 지형적 특징을 현명하게 활용합니다. 진도 앞바다인 울돌목에는 마치 회오리처럼 파도가 생성되는데, 이것을 무기로 삼은 겁니다.

물살이 빨라 우는 소리가 난다 해서 '울', 물이 되돌아간다 해서 '돌'인 울돌목은, 유속이 시간당 20km인 급류가 굴곡이 심한 암초사이를 소용돌이처럼 흐르는 곳입니다. 유속이 약 5km 이상이면 보통 잠수하기에 어려운 환경으로 파악되고, 유속 20km인 이곳에 만약 빠진다면 순식간에 휩쓸려갈 수밖에 없는 위험한 곳이라 병법적으로는 죽음의 땅, 즉 사지라고도 불립니다. 조선 후기에 편찬된 '여지도서'에는 울돌목에 대해 "병 주둥이처럼 생겼는데, 큰 물결과 커다란 파도가 좁은 협곡과 만나 방망이를 찧는 듯 한 격렬한 소리를 내며 운다"라고 기록돼 있습니다.

그렇다면 왜 이곳은 이렇게 빠른 유속을 보일까요?

국립해양조사원 분석 자료에 의하면 밀물 때 넓은 남해의 바닷물이 좁은 울돌목으로 한꺼번에 밀려와서 서해로 빠져나가기 때문이라고 합니다. 이순신 장군은 이런 울돌목의 사지를 등 뒤에 두고 싸우는 것은 불리하다고 판단해, 명량대첩이 있기 하루 전날, 진을 해협의 길목인 벽파진에서 좀 더 안쪽인 전라 우수영으로 옮기기도 했습니다.

한편, 현대에는 울돌목의 빠른 유속을 이용해 2008년에는 1000kw급 시험조류발전소가 설치되었습니다. 조류발전은 빠른 물살의 힘으로 바람개비처럼 생긴 수차를 돌려 전기를 생산하는 방식이며, 미래의 대체에너지로 주목받고 있습니다. 500년 전 전쟁의 승리를 안겨준 장소가 지금은 과학의 발전 위에서 우리에게 큰 도움을 주고 있는 것이죠.

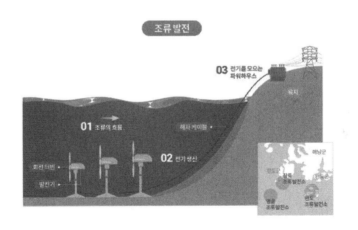

그림출처: 한국에너지기술연구원

부록 (조류발전)

조류는 재생 가능한 비(非)고갈성 운동에너지로, 조류발전은 조류의 자연적인 흐름으로 수차발전기를 회전시켜 전기를 생산하는 방식을 말합니다. 조수의 낙차를 이용한 조수발전과는 달리 바닷물의 흐름을 이용하는 발전 방식이므로 발전 설비를 설치할 때, 저수지 확보를 위한 댐이나 둑 등의 건설이 필요 없으며, 선박 및 어류의 이동을 방해하지 않아 환경 친화적 에너지 시스템에 해당합니다. 조류발전은 계절이나 낮과 밤에 관계없이 항상 발전이 가능하며 예측 가능한 에너지일 뿐 아니라, 해양에 댐을 설치하지 않음으로 주변 해양환경 변화를 최소화 할 수 있는 장점이 있습니다.

-오로라 여행

오로라는 '빛의 향연, 빛의 잔치, 빛의 커튼, 신의 영혼, 춤추는 빛, 그리고 생명의 빛' 등 다양한 이름으로 불리는데, 영롱한 색상의 화려한 오로라를 제대로 보려면 위도 60~80°의 고위도 지방으로 가야합니다. 즉 북극이나 남극에 가까운 곳일수록 오로라를 관찰할 가능성이 높은 것이죠. 저는 2013년 북위 62°에 위치한 캐나다 옐로나이프에서 오로라를 경험 했습니다.

과연 오로라는 어떻게 생성되는 걸까요? 오로라에 관한 연구는 아직도 진행 중이므로 밝혀지지 않은 부분도 많습니다만 지금까지 연구를 통해 알려진 오로라의 생성 원리는 다음과 같습니다.

태양은 엄청나게 뜨겁고, 핵폭발이 계속 진행되고 있기 때문에 분자들은 전자와 양성자 등으로 나뉘게 됩니다. 이 입자들은 태양의 표면을 뚫고 나와 우주 공간으로 방출돼 마치 총알처럼 지구로 쏟아져 들어오게 되는데, 이러한 입자들의 흐름이 바로 태양풍*입니다.

태양풍을 직격으로 맞는다면 지구는 태양풍의 공격으로 대기가 얇아지면서 생명체가 살 수 없는 화성처럼 되었을 것입니다. 하지만 다행히도 지구에는 이 태양풍으로부터 보호해주는 방어막이 있습니다. 바로 지구 자기장이죠. 지구의 내핵은 식지 않고 뜨겁게 유지되고 있기에, 내핵**이 간직한 에너지가 외핵***에 전달됩니다. 철과 니켈 등이 액체 상태로 녹아있는 외핵이 자전에 의해 회전하면서 지구 자기장을 생성하게 되는 원리입니다.

하지만, 태양풍에 의해 분리된 입자들, 즉 양성자, 전자, 헬륨이온 등이 지구 자기장에 의해 빨려 들어오면서, 지구 대기를 이루는 각종 산소와 질소 분자, 네온 원자 등과 부딪히면서 빛을 내는데, 이 광전 현상이 바로 오로라입니다. 그래서 내핵이 식고 자기장이 사라지면서 대기가 얇아진 화성 같은 행성에서는 볼 수 없고, 지구에서는 화려하고 멋진 오로라를 관찰할 수 있는 것이죠. 오로라는 지구의 자기장

---

* 태양의 상부 대기층에서 방출된 전하 입자, 즉 플라스마의 흐름을 가리킨다. 태양 외의 항성에 대해서는 이러한 입자의 흐름을 일반적으로 항성풍이라고 부른다.

** 지표 아래 약 5100km에서 중심부까지의 부분을 가리킨다.

*** 액체 상태로 존재하는 지구핵의 바깥쪽 부분을 말한다. 내핵 위에, 맨틀 아래에 위치하며 대부분 액체 상태의 철과 니켈로 이루어져 있다.

이 생명체를 지키고 있다는 증거로써, 인간이 만드는 그 어떤 불꽃놀이보다 더 아름답게 하늘을 수놓고 있습니다.

한편 오로라를 찾아서 떠나는 여행을 흔히 오로라 헌팅이라고 부릅니다. 가장 선명하고 화려한 오로라를 헌팅하기 위해서는 어디로 가야 할까요? 앞서 적은 대로 오로라는 태양풍과 지구자기장에 의해 발생하므로 아쉽게도 어디에서나 볼 수 있는 것은 아니고, 한정적인 곳에서만 관찰할 수 있습니다. 오로라는 지구의 자북극과 자남극을 중심으로 둘러싼 2,500-3,000km 정도의 둥그런 원둘레에서 자주 발생하는데, 이를 오로라 오발(Aurora Oval)이라고 부릅니다.

마치 고리처럼 지구의 자극(磁極)을 둘러싼 이 오로라 오발의 크기와 폭은 고정된 것이 아닙니다. 태양풍과 지구 자기장의 세기와 방향에 따라 넓어지기도 하고 좁아지기도 하는데다, 위도가 더 높거나 낮은 쪽으로 움직이는 경우도 있습니다. 따라서 극권이 아니라 위도가 조금 더 낮은 지역에서도 오로라를 볼 가능성은 열려있습니다.

지구의 자극은 지금 이 순간에도 계속 이동 중입니다. 조선 시대까지도 볼 수 있었던 오로라를 더 이상 한반도에서 볼 수 없게 된 이유죠. 현재의 자북극은 매

년 서쪽으로 1년에 약 40km 정도의 속도로 움직이고 있는데, 그 속도마저도 일정하지 않습니다. 그러므로 현재 오로라를 관측하기에 최적의 장소는 캐나다의 옐로나이프와 화이트 호스, 아이슬란드의 레이캬비크, 노르웨이의 트롬소, 핀란드의 라플란드 등이지만, 미래에는 오로라 헌팅 명소가 바뀔 수도 있겠네요.

먹는 걸로 과학하기

-브라질 넛트(Brazil nut)

견과류는 건강을 챙겨줄 뿐 아니라 다이어트에도 도움이 된다고 해서 한동안 하루에 한 번은 꼭 먹어야 할 식품에 올랐었습니다. 저 또한 어떤 이유로든 잊을 만하면 한 번씩 견과류 믹스를 구입하는데, 살 때마다 불만족스러운 점이 하나 있습니다. 이런저런 견과류를 골고루 다 먹고 싶어서 혼합 견과류 제품을 샀지만 뚜껑을 열어보면 위에는 브라질 콩처럼 상대적으로 크고 밋밋한 맛의 콩 종류가 대부분이고, 제가 좋아하는 건포도나 짭짤한 작은 콩류는 아래 쪽에 몰려 있다는 것입니다. 소위 말하는 '브라질 너트 효과(Brazil Nut Effect)'로 의도치 않게 견과류 편식을 하게 되는 것이죠.

미립자 대류현상(Granular Convection)이라고도 불리는 브라질 너트 효과는 알갱이를 통에 넣고 흔들수록 크기에 따라 분리된 층을 형성하는 현상을 일컫는 말입니다. 즉, 다양한 크기를 가진 알갱이 혼합물을 흔들면 알갱이가 움직일 때 가운데 부분에서는 위로 올라오고 가장자리에서는 아래로 내려가 결국 입자가 큰 게 위에 남습니다. 이러한 현상은 굳이 혼합 견과류 캔을 사지 않더라도 조금만 관심을 가지면 주변에서 쉽게 찾아볼 수 있습니다. 여러 곡류가 섞인 시리얼을 먹다 보면 바닥에 작은 오트밀 조각만 잔뜩 남아 있거나, 과자봉지 바닥에 과자가루나 부스러기들이 잔뜩 몰려 있는 것도 모두 이 효과로 설명할 수 있습니다. 흔히 볼 수 있는 현상이고 이와 관련된 실험은 세 살 어린애도 할 수 있을 만큼 쉽고 간단하지만 그 원인은 아직까지 명확히 밝혀지지 않았습니다.

브라질 너트와 이보다 작은 땅콩이 섞이는 메커니즘을 이해하려면 통을 흔들거나 치는 따위의 행위를 했을 때 이들 알갱이가 어떻게 움직이는가에 대한 분석이 필요합니다. 같은 브라질 너트라도 어떤 콩은 흔들면 위로 올라오지만 어떤 건 바닥에 그대로 있습니다. 이렇게 알갱이들이 서로 다른 움직임을 보이는 이유는 무엇일까요?

영국 맨체스터 대학의 필립 위더스(Philip Withers) 교수팀이 X선 컴퓨터 단층 저속 촬영(Computertomografie)을 이용해 브라질 너트와 땅콩의 움직임을 추적해 본 결과, 흔들었을 때 브라질 너트 모두가 바로 위로 움직이는 건 아니었다고 합니다. 70회 정도 흔들어 주면 비로소 브라질 너트 중 하나가 혼합물의 상층에 도달하고, 150회 정도 흔들어 주면 또 다른 두 개가 같은 높이에 이릅니다. 그리고 나머지는 바닥에 갇힌 것처럼 위로 올라오지 않았습니다. 논문의 제1저자인 파르메시 가자르(Parmesh Gajjar) 박사의 말에 따르면 콩이 초기에 어떤 모양으로 놓여있는가에 따라 그 움직임이 결정된다고 합니다. 즉, 브라질 너트가 윗방향으로 움직이기 위해서는 아래위로 길쭉한 모양으로 설 때까지 회전이 먼저 이루어져야 합니다. 그리고 일단 표면에 도달하면 너트 알갱이는 다시 좌우로 길게 눕습니다. 다시 말해 콩 입자가 처음에 어떤 모양으로 놓여 있는가에 따라 브라질 너트 효과가 다르게 나타나는 것입니다. 이 실험을 통해 맨눈으로는 관찰이 어려운 혼합물 내부의 운동에 대해 좀 더 많은 걸 알게 됐지만, 이 현상의 발생 원인이 규명된 건 아닙니다.

전문가들의 견해에 따르면 브라질 너트 효과의 설명을 위한 여러 가설 중 '대류현상설'이 가장 설득력이 있습니다. 대류는 거칠게 말해 액체나 기체 같은 유체 내 분자들의 이동을 의미합니다. 일례로 물이 담긴 냄비 바닥에 열을 가하면 물을 끓일 수 있는 것도 대류현상 때문입니다. 알갱이는 고체이지만 이들이 모여 있으면 유체의 특성도 갖습니다. 때문에 알갱이가 담긴 통을 흔들어 주면 측면의 알갱이들은 물이 벽면을 타고 아래로 흐르듯이 휘어져 내려가고, 내부의 알갱이들은 위로 떠오르는 굽은 아치형 층(convection roll)을 반복해서 형성합니다. 이때 큰 알갱이들은 작은 아치형을 형성하기에는 너무 커서 계속 위에 떠있게 됩니다.

재밌는 사실은 알갱이의 크기가 같더라도 무게가 다른, 즉 밀도가 다른 알갱이들을 담아 같은 방식으로 움직여 주면 밀도가 높은 것은 뜨고 낮은 것은 가라앉습니다. 다시 말해 크고 가벼운 알갱이와 작고 무거운 알갱이를 함께 담아 흔들었을 땐 작은 게 위로, 큰 게 아래로 이동합니다. 이를 '역 브라질 너트 효과'라 하는데 대류현상설로는 이를 설명할 수 없습니다. 쉽사리 비밀을 털어 놓지 않는다는 점에서 참 매력적인 현상인거 같습니다.

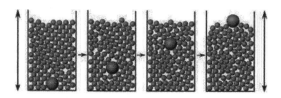

-도넛구멍부터 위상까지

위상수학에 대해 얘기할 때 가장 많이 드는 예시는 도넛과 머그컵의 비유입니다. 도넛과 머그컵의 구멍의 개수가 똑같이 1개이기 때문에 동등하다는 주장을 하는 것이죠. 이 비유에 대해 정확히 말하자면 위상수학적으로 동등하다는 의미를 가지고 있습니다. 위상수학은 이름에서 알 수 있듯이 물체의 위상이라는 어떠한 구조에 대한 수학입니다.

위상수학에서는 위상을 바꾸지 않는 변형, 위상동형사상이라고 부르는 변형을 가해도 위상수학적인 관점에서는 변형 전과 후의 물체 사이의 차이가 없다는 것입니다.

3차원 공간에서 위상동형사상의 예로는 구부리기, 줄이기, 늘이기 등이 있습니다. 한편 위상을 바꾸는 변형은 자르기, 구멍 뚫기, 붙이기 등이 있습니다.

머그컵에 위상을 보존하는 변형을 통해 도넛의 모양, 다시 말해 원환체 모양이 되는 것은 쉽게 생각할 수 있습니다. 그렇다면 물체들 사이의 위상이 같고 다름은 어떻게 알 수 있을까요? 이때 많이 사용하는 개념으로 위상학적 불변량입니다. 그리고 위상학적 불변량의 가장 대표적인 예시로는 '오일러 지표'가 있습니다. 어떠한 다면체가 있을 때 꼭짓점의 개수를 v, 모서리의 개수를 e, 다면체 면의 개수를 f라 하면 오일러 지표는 v-e+f로 주어집니다. 실제로 3차원에서 생각할 수 있는 어떠한 다면체던 오일러 지표는 변하지 않는 것을 쉽게 알 수 있습니다. 그리고 한 다면체에 위상을 보존하는 변형을 가하면 다른 다면체가 될 수 있습니다. 종합하자면 위상학적 불변량이 같은 대상끼리는 서로 위상동형이라고 주장할 수 있는 것입니다.

다면체 뿐만 아니라 임의의 곡면으로도 확장이 가능한데 위상동형인 곡면끼리는 오일러 지표가 변하지 않습니다. 원환체의 경우 오일러 지표가 0이고 구멍이 두 개 뚫린 이중 원환체는 -2, 삼중 원환체는 -4로 서로 위상동형이 아닌 곡면끼리는 위상학적 불변량이 다름을 알 수 있습니다. 엄밀한 수학적 정의는 피하고 생각해 보면 도넛 구멍의 개수가 위상학적 불변량과 관계가 있으며 구멍의 개수가 다른 도넛끼리는 서로 다른 성질을 띤다고 생각할 수 있습니다.

2016년 노벨 물리학상은 도넛 구멍의 개수를 통해 자연계에 존재하는 물질의 상을 구분할 수 있다는 것을 밝힌 세 명의 물리학자, 데이비드 사울레스(David Thouless), 덩컨 홀데인(Duncan Haldane), 마이클 코스털리츠(Michael Kosterlitz)에게 수여되었습니다. 그리고 노벨상 시상에 도넛을 들고 나와 화제가 되었죠. 어쩌면 위대한 발견의 시작은 아주 사소한 궁금증인지도 모르겠습니다.

도넛-머그컵 위상수학

과학적으로 스포츠 즐기기

-컬링

평창 동계올림픽 때 "영미!!"를 외치던 '팀킴' 덕분에 컬링(curling)에 대한 관심이 많이 높아졌습니다. 격해 보이는 여느 스포츠와 달리 동그란 표적 중앙으로 스톤을 밀어 넣는 방식이나 선수들이 빙판 위를 빗자루로 쓸어내는 모습이 독특하게 다가오는 이색 경기죠.

컬링은 빙판 위에 '컬(curl)'이라고 불리는 스톤을 미끄러지게 해 약 30.48m 떨어진 원 모양의 목표지점에 밀어 넣는 게임입니다. 컬링이 독특한 이유는 스톤이 움직이고 둥글게 휘어지는 '컬'을 만들어 낼 때 물리학, 기하학, 열역학 등이 모두 작용하기 때문입니다.

16세기 스코틀랜드의 강바닥에서 돌을 밀어내 겨루던 경기에서 시작된 컬링은 이제 고도의 전략과 얼음 위의 마찰과 같은 과학 원리에 좌우되는 '빙판 위의 체스'라 불리고 있습니다. 컬링 스톤과 빙판, 스위핑 등에 숨어있는 흥미로운 과학 원리를 살펴보면 더욱 재미있게 관람할 수 있을 겁니다.

컬링 스톤은 상단에 그립감이 좋은 손잡이가 부착된 두꺼운 돌덩어리입니다. 재료는 스코틀랜드 연안에 있는 에일사 크레이그라는 섬에서 채굴하는 화강암입니다. 이 화강암은 물을 밀어내는 소수성이 있어 빙판 표면에 들러붙지 않고 미끄러질 수 있습니다. 또 매우 단단해서 다른 스톤과 충돌해도 파손되지 않습니다. 스톤의 무게는 대개 17~20㎏ 사이인데, 스톤이 묵직한 이유는 속도가 갑자기 떨어지지 않고 충분한 거리를 미끄러져 가도록 하기 위해서라고 합니다.

또한 컬링 스톤의 바닥에는 돌의 무게를 지탱하는 러닝 밴드(running band)라는 얇은 고리가 있습니다. 이 밴드는 스톤이 얼음과 접촉하는 부분으로 두께 5mm, 직경 12cm 정도의 링입니다. 밴드의 질감과 밴드 가장자리의 부드러운 정도는 얼음과의 마찰에 영향을 주기 때문에 스톤의 움직임에도 영향을 미칩니다.

컬링이 흥미로운 이유 중 하나는 스톤을 한 번 밀고 난 뒤에도 스톤이 나아가는 방향과 거리에 영향을 줄 수 있다는 점입니다. 그로 인해 다양한 변수를 만들어내는데, 그 비밀은 바로 얼음에 있습니다.

컬링은 빙판에서 진행되는 경기지만, 다른 종목과 빙판의 특성이 매우 다릅니다. 스케이트와 같은 일반적인 경기들이 매끄러운 얼음에서 진행되는데 반해, 컬링은 표면에 '페블(pebble)'이라는 작은 알갱이들이 있는 빙판에서 진행됩니다.

이 알갱이는 얼음 위에 물을 분사해 만듭니다. 그렇게 만든 표면은 마치 오렌지 껍질처럼 거칠어집니다. 알갱이가 있는 거친 표면은 예상 외로 스톤을 더 빠르게 움직이게 합니다. 얼음 표면 전체가 스톤과 접촉하는 게 아니라, 울퉁불퉁하게 튀어나온 가장 윗부분만이 스톤과 접촉하기 때문이죠. 그만큼 마찰력이 줄어들어 스톤의 이동 거리가 2배 가까이 늘어납니다.

캐나다 노던 브리티시 컬럼비아 대학의 물리학자 마크 셰겔스키(Mark Cegielski)에 따르면, 얼음 위에 페블이 있기 때문에 스톤이 지나가며 한쪽으로 방향이 휘어지는 스핀 조절이 가능합니다. 선수가 빗자루로 얼음 위를 쓸어내는 스위핑(sweeping)을 하면, 마찰열로 순간 수막이 만들어져 스톤의 속도와 진행 방향을 조절할 수 있습니다.

컬링에서 눈에 띄는 동작인 스위핑에 대해서도 좀 더 자세히 살펴볼까요? 컬링에서는 한 선수가 컬링 스톤을 밀어주면 다른 두 명의 선수가 스톤이 지나는 길을 빗자루로 열심히 쓰는 스위핑을 통해 원하는 위치에 다다르게 합니다. 이때 사용하는 빗자루의 솔은 약간의 마모성이 있는 합성 소재입니다.

빗자루로 빠르게 쓸면 열이 발생해 얼음 표면을 녹여 수막을 만듭니다. 그러면 마찰을 감소시켜 스톤이 더 쉽게 미끄러지는 경로를 만들죠. 또 스톤은 속도가 느릴수록 더 많이 휘기 때문에 전략에 따라

스위핑 시기를 결정할 수 있습니다. 스위핑을 일찍 시작하면 이동 경로가 직선에 가까워지고 이동 거리도 늘어납니다.

스톤을 밀어낸 선수는 스위퍼들에게 '서둘러(hurry)', 또는 '열심히(hard)'를 외칩니다. 우리나라의 '팀킴'은 "영미!!"를 외쳤죠. 이러한 스위핑을 통해 스톤이 최대 4~5m를 더 가게 할 수 있습니다.

요컨대 컬링은 경기상황에 따라 얼음 표면에 미끄러지는 스톤의 마찰력을 잘 조절하는 게 관건입니다. 스위핑을 하는 선수인 '스위퍼'들은 빗자루에 체중을 가볍게 밀어 넣어 얼음에 많은 압력을 가합니다. 이때 빗자루를 좌우로 빠르게, 압력을 가해 움직이기 위해서는 팔, 등, 기타 몸통 근육이 필요합니다.

스톤이 빙판을 지나가며 휘어지는 이유는 물리학에 해답이 있습니다. 얼음엔 스톤의 속도를 떨어뜨리는 마찰력이 존재합니다. 스톤이 감속할 때는 대개 한 방향으로 휘거나 구부러지죠. 스톤을 반시계 방향으로 회전시키면 왼쪽으로 휘어지고, 시계 방향으로 회전시키면 오른쪽으로 휘어집니다.

컬링 스톤이 얼음에 미끄러져 내려갈 때 두 가지 외부 힘의 영향을 받습니다. 스톤의 무게는 아래로 작용하고, 빙판이 스톤을 받쳐 주는 힘이 아래에서 위로 가해집니다. 또 스톤이 움직이는 반대 방향으로 얼음과 접촉에 의한 마찰력이 작용해 스톤의 속도를 늦춰줍니다. 스톤이 감속할 때 회전의 바깥 가장자리 마찰력이 안쪽보다 줄어들면서 스톤이 처음의 경로에서 벗어나게 됩니다.

컬링 스톤은 이동이 끝날 무렵 더 많이 밀리는 경향이 있습니다. 그 이유는 접촉면의 수막층이 스톤의 회전으로 인해 스톤의 앞쪽으로 끌려 다니기 때문입니다. 그래서 마지막 몇십 cm를 나가는 동안에는 휘어지는 정도도 더 커집니다.

과녁처럼 보이는 하우스에서 다른 스톤들과 충돌하며 자리를 뺏고 빼앗기는 모습도 컬링의 묘미죠. 이때 스톤들이 충돌할 때도 또 다른 물리학의 작용이 일어납니다. 미국 플리머스 주립대학의 물리학자인 조지 튜틸(George Tuthill)은 "두 스톤이 충돌하며 운동 에너지가 이동되는 순간은 관중을 더욱 흥분시키는 요소가 된다"고 설명하기도 했습니다.

컬링 경기

-골프

골프는 단순히 쇠를 깎아 모양만 만들고 공을 멀리 치게 하는 운동이 아닙니다. 최신 휴대폰이나 컴퓨터에 맞먹을 만큼 최첨단 제품들로 각종 과학기술을 총동원해 만들어낸 첨단 과학의 산물입니다. 작은 골프공 하나에도 1500개가 넘는 특허가 이미 등록되어 있고 드라이버나 아이언은 '좀 더 멀리, 좀 더 정확하게' 치고 싶어 하는 골퍼들을 위해 각종 기술들을 집대성해 놓았습니다.

골프는 기본적으로 공기 저항과의 전쟁입니다. 공이 멀리 날아가기 위해서는 공기 저항을 뚫고 가야하고, 더 강하게 공을 치기 위해 드라이버 스피드를 높이려면 헤드가 공기를 잘 통과해야 합니다.

최근 드라이버 헤드 크기가 점점 커지면서 공기 역학의 중요성이 더욱 커지고 있습니다. 전통적인 모양을 벗어나 유선형의 비행기 모양으로 바뀌고 있는 이유입니다. 시속 300km를 넘나드는 자동차를 만드는 윌리엄스가 골프용품 시장에 뛰어든 것이나 F1 페라리 팀과 함께 드라이버를 개발한 캘러웨이 경우도 공기 저항을 줄인다는 공통의 기술이 녹아 있기에 가능한 일입니다.

공기 저항은 조금만 생각해 보면 쉽습니다. 300cc짜리 구형 드라이버를 휘둘러 본 후 460cc 크기의 최근 드라이버를 스윙해 보면 차이가 생기죠. 뭔가 묵직하게 잡아당기는 느낌을 받을 수 있을 겁니다. 당연히 크기가 작은 드라이버 헤드가 공기 저항이 더 작기 때문입니다. 드라이버 헤드를 디자인할 때는 스윙하는 순간의 공기 저항을 줄이기 위해 소울에 바람의 통로를 만들기도 합니다. 골프공에 움푹 패인 '딤플*'이 있는 것도 공기저항을 줄이기 위한 최첨단 기술이죠.

회전하며 날아가는 물체에는 '마그누스 효과'가 적용됩니다. 골퍼가 공 아랫부분을 때리면 공은 역회전을 하며 날아갑니다. 이 때 역회전하는 골프공의 아래쪽 공기는 마찰 때문에 압력이 증가하고 공위쪽 공기는 압력이 낮아지면서 공은 위로 밀어올려집니다. 딤플은 야구공의 실밥처럼 마찰과 압력을 증가시켜 공의 비거리 및 체공시간을 늘어나게 합니다. 이 때문에 골프공에 딤플이 없다면 비거리는 20%가량 감소하게 된다고 합니다.

그럼 타이거 우즈처럼 공을 강하게 치는 선수의 공이 일직선으로 날아가다 위로 한 번 더 솟구치는 것은 뭘까요? 이때는 처음 아주 빠른 속도의 공이 공기를 뚫고 나가는 '레이놀즈 수'와 속도가 떨어지며 '마그누스 효과'가 적용돼 공이 위로 올라가게 되는 두 가지 힘이 적용됩니다. 레이놀즈 수는 1900년대 공학자 오스본 레이놀즈 (Osborne Reynolds)가 만든 공식으로 공의 속도가 빠르고 표면이 거칠수록 공기 저항을 뚫고 나가는 힘이 커진다는 것입니다.

축구공의 경우 공이 초속 30m를 넘으면 레이놀즈의 수가 커지면서 축구공 표면의 공기층이 얇은 층을 형성하지 않고 난류 (turbulence) 상태로 들어가 마찰력이 상대적으로 적게 작용해 축구공 자체의 스피드가 줄어들지 않습니다.

---

* 골프공 표면에 있는 수백 개의 오목한 홈이다. 일반적으로 골프공 표면에는 딤플이 약 350-500개 정도 있다.

골프공도 마찬가지입니다. 처음 공을 쳤을 때에는 속도가 빨라 공기를 뚫고 직진으로 날아갑니다. 상승하는 공은 중력의 영향으로 속도가 줄어들다 특정 시점에서 마그누스 효과를 받아 공이 다시 하늘로 솟구치게 되는 것이죠.

장타를 내고 싶다면 기본적인 공식만 알면 됩니다. 움직이는 물체(클럽)의 힘(운동에너지)은 물체의 질량(클럽 헤드의 무게)X속도(헤드스피드)로 정리된다. 이론적으로 보면 무거운 클럽으로 빨리 휘두르면 운동에너지가 극대화되고 공은 멀리 날아갑니다.

골프 경기

-수영

수영은 물에 뜬 채 앞으로 나가는 행위인데, 물에 뜨려면 기본적으로 부력이라는 힘이 작용해야 합니다. 부력은 아르키메데스의 원리라고도 불리는데, 고대 그리스 수학자 아르키메데스에 의해 발견됐기 때문입니다. 아르키메데스는 새로 제작된 왕관에서 순금이 차지하는 비율을 밝히라는 명을 받았습니다. 단 왕관을 녹여서는 안 된다는 조건이 붙었죠. 고민에 빠져 있는 그는 물이 가득 담긴 탕에 몸을 담그자 물이 넘치는 것을 보고 넘친 물의 양이 부피와 같음을 깨닫습니다.

물속의 물체는 중력과 부력을 동시에 받습니다. 물속에 잠긴 물체가 물로부터 받는 힘을 중력이라 하고, 반대 방향인 위쪽으로 밀어 올리는 힘을 부력이라 하며, 물속 물체의 부피가 클수록 부력이 증가합니다. 이렇듯 하나의 물체에 중력과 부력이 작용하면 물체는 더 큰 힘이 작용하는 쪽으로 움직입니다. 즉, 물체에 작용하는 중력이 부력보다 크면 물체는 물속에 가라앉고, 중력보다 부력이 크면 물체는 수면으로 떠오릅니다. 따라서 부력을 이용해 물체를 띄우려면 무게는 가벼워야 하고, 부피는 커야 합니다. 부피가 커지면 비중이 줄어들고 물에 닿는 면적이 넓어져 부력을 받는 면적도 넓어지므로 더 쉽게 물에 뜰 수 있습니다. 즉, 튜브나 구명조끼의 경우 무게는 가볍지만, 공기를 가득 넣어 부피가 커지므로 물에 쉽게 뜰 수 있습니다.

〈물속 물체에 작용하는 힘〉

부력 〈 중력: 물체가 물속으로 가라앉습니다.

부력 = 중력: 물체는 어느 위치에도 있을 수 있습니다.

부력 〉 중력: 물체가 물 위로 뜹니다.

부력의 원리를 활용해 물에 떠올랐다면 다음으로, 물살을 헤치고 앞으로 나가는 원리를 알아봅시다. 수영에는 자유형, 배영, 평영, 접영 등 다양한 영법이 있습니다. 영법마다 동작이 다르지만, 팔과 손을 사용해 물을 끌어당기고 뒤로 밀어 추진력을 얻는다는 공통점이 있습니다. 밀어낸 힘만큼 추진력을 얻어 몸이 앞으로 나가는 것인데, 뉴턴의 운동 제3법칙인 작용 반작용의 법칙에 해당합니다.

작용 반작용은 한 물체가 다른 물체에 힘을 작용하면 다른 물체도 힘을 작용한 물체에 반대 방향으로 같은 크기의 힘을 작용한다는 법칙입니다. 걸을 때 발로 땅을 밀어내는 작용에 대해 지면은 반대 방향으로 우리 몸을 밀어내는 반작용이 일어나 우리가 앞으로 나아가게 되는 것이 대표 사례입니다.

　작용 반작용의 법칙으로 추진력을 얻더라도 빠른 속력을 유지하려면 몸의 형태를 유선형으로 만들고 신체를 직선 형태로 유지해야 합니다. 이러한 행위는 물과 마찰로 인한 저항을 감소시키는 것으로 자유형, 배영, 평영, 접영은 물론 잠영에서도 활용됩니다. 특히 잠영은 기존 영법에서 발생하는 저항을 최소화한 것으로, 수면 위보다 저항이 훨씬 적어 더 빨리 나갈 수 있다는 장점으로 많이 사용됐습니다. 하지만 잠수 경기라는 비판으로 결국 최대 잠영 거리가 15m로 제한됐습니다.

　한편, 수영 선수들의 예선 성적에 따라 4-3-5-6-2-7-1-8 레인으로 배정하는 것을 볼 수 있는데, 여기에도 저항의 원리가 숨어 있습니다. 물은 사람이 움직일 때 파동이 발생하고 그 파동이 선수들이 추진하는 힘에 반대 저항을 줍니다. 가장 가운데인 5번 레인에서 수영하면 물이 1, 8번 레인으로 퍼져나갑니다. 중앙에 있는 선수는 양옆에 있는 선수에게 물의 저항을 줄 수 있습니다. 1, 8번 선수는 한쪽으로는 물의 저항을 주지만 수영장 벽을 맞고 다시 자기 쪽으로 오기 때문에 물의 저항을 중앙에 있는 선수보다 많이 받습니다. 그래서 수영 경기에서 3~5번 레인이 유리합니다.

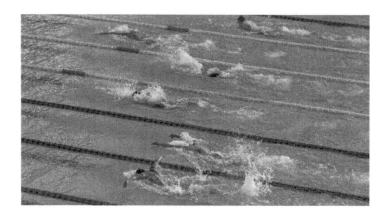

수영 경기

인간관계에 스며든 물리

SNS를 들여다보면, 주변에 친구가 정말 많은 인플루언서들이 있습니다. 여행은 또 왜들 그리 많이 가는지, 난 한 번도 못 가본 여행지에서 찍은 사진들이 올라오기도 합니다. 나를 뺀 다른 친구들은 정말 분주하게, 의미 있고 행복한 삶을 사는 것 같습니다.

이번 이야기는 바로, 왜 내 친구는 친구가 많고, 또 내 친구는 왜 나보다 더 멋진 삶을 사는 것처럼 보이는지에 대한 이야기입니다. 글을 읽고 나서 많은 독자가 이런 느낌이 일종의 착시에 불과할 뿐이라는 것을 알게 되길 바랍니다. 어제 레스토랑 사진을 올린 친구는 오늘은 삼각 김밥을 먹고 있을 수 있습니다. 삼각 김밥 사진을 올리지 않을 뿐이죠. 어제 내가 삼각 김밥 사진을 올리지 않은 것처럼요.

세 명이 있습니다. A는 친구가 열 명, B는 친구가 한 명, 그리고 C도 마찬가지로 친구가 한 명입니다. A의 친구 열 명에는 B와 C도 들어 있어서, B의 친구 딱 한 명이 바로 A고, C의 유일한 친구가 마찬가지로 바로 A입니다. 이 세 명에 대해서 친구 수를 나란히 적으면 10, 1, 1입니다. 모두 더해 10+1+1=12이고, 3으로 나누면 4가 됩니다. A, B, C 세 명에 대해서 친구 수의 평균값은 4란 뜻입니다.

같은 상황에 대해서 이번에는 다른 계산을 해봅시다. 바로, 친구의 친구 수를 평균 내 보자는 이야기입니다. A에게 "네 친구는 친구가 몇 명이야?"라고 물어봅시다. A는 친구가 열 명이죠. B와 C를 뺀 나머지 여덟 명의 친구 각각이 친구가 몇 명인지에 따라 답이 달라질 수는 있지만, 어쨌든 A의 답은 '1명'보다 작을 수는 절대로 없습니다. 마찬가지 질문 "네 친구는 친구가 몇 명이야?"를 B에게 물으면 B의 답은 '10명', C에게 물으면 C의 답도 역시 '10명'입니다. 즉, "네 친구는 친구가 몇 명이야?"라고 묻고 각자가 답한 값을 나란히 적으면 1, 10, 10이 됩니다. 더하면 21, 3으로 나누면 평균값 7명이죠. 자, 정리해봅시다. 친구의 친구 수의 평균값은 아무리 적어도 7명입니다.

이쯤에서 뭔가 이상하다고 느낀 독자가 많을 거 같습니다. 친구 수의 평균은 4명인데, 어떻게 친구의 친구 수의 평균은 7명일 수 있을까요. 왜 두 숫자가 많이 다를까요. 이 두 숫자의 차이가 바로 '친구관계의 역설'(Friendship paradox)에 해당합니다. 각자에게 친구가 몇 명이냐고 물어보는 것과, 당신의 친구는 친구가 몇 명이냐고 물어보는 것이 다른 결과가 나온다는 것이 바로 친구 관계의 역설입니다.

우리가 '역설'이라고 하는 것에는 사실 공통점이 있습니다. 언뜻 모순되어 보이지만 알고 나면 이상할 것이 없다는 것이 바로 공통점이죠. 친구 관계의 역설도 마찬가지입니다. 왜 이런 역설이 생기는지는, 이런 역설이 생기지 않는 경우를 생각해보면 어렵지 않게 이해할 수 있습니다. 자, 서로서로 모두 친구인 다섯 명으로만 구성된 모임이 있다고 합시다. 다섯 명 중 누구나 친구 수는 네 명입니다. 누구나 예외 없이 친구가 네 명이니, 친구의 친구 수도 마찬가지로 네 명이겠죠. 이 경우에는 친구 관계의 역설이 발생하지 않습니다. 이처럼 각자의 친구 수가 큰 차이 없이 고만고만할 때는 친구 관계의 역설은 발생하지 않습니다. 거꾸로 사람들 중 누군가가 친구가 아주 많을 땐 역설이 발생합니다. 이유도 어렵지 않습니다. 친구가 많은 마당발은 말 그대로 많은 사람과 친구입니다. 마당발의 그 많은 친구는 하나같이 "내 친구는 친구가 아주 많다"고 답하게 되기 때문입니다.

친구 수 가지고 실망할 필요 전혀 없다는 이야기와 더불어, 왜 친구들은 나보다 맛있는 음식을 먹고, 나보다 여행을 많이 한다고 느끼는지도 살펴봅시다. 이 부분은 '선택 치우침'(selection bias)으로 쉽게 설명할 수 있습니다. 전혀 어려운 얘기가 아닙니다. 삼각 김밥 먹는 사진을 올리는 사람은 없지만 1년에 딱 한번 가본 멋진 레스토랑 사진은 사람들이 올리기 때문입니다. 친구 365명 각각이 1년 365일 중 딱 하루 가는 멋진 레스토랑 사진을 1년에 한 번씩만 올려도, 독자는 매일매일 멋진 레스토랑에서 비싼 음식을 먹는 친구 누군가의 모습을 보게 될 뿐입니다. 레스토랑 사진 속 그 친구도 독자와 마찬가지입니다. 364일은 평범한 점심을 먹을 겁니다.

'선택 치우침'에는 관련된 재밌는 일화도 있습니다. 2차 대전 당시 미군에서 전투에 투입되는 비행기의 어느 부분에 두꺼운 장갑을 둘러야 안전하게 보호할 수 있을지를 고민했다고 합니다. 생환한 비행기의 총탄 자국을 살펴보니, 엔진 부분에는 거의 총탄 자국이 없고, 비행기 날개와 꼬리 부분에 총탄 자국이 많았습니다. 자, 그럼 엔진 부분은 장갑으로 보호할 필요가 없을까요? 이 일화가 바로 명확한 '선택 치우침' 효과를 보여줍니다. 엔진에 총격을 입은 비행기는 대부분 격추되어 살아 돌아오지 못하기 때문에 오히려 중요하지 않은 부분에 총격을 받은 비행기만 생환할 뿐이라는 얘기입니다. 합리적인 결론을 얻으려면 선택 치우침이 없는 자료를 모으는 것이 중요하다는 것을 알려주는 일화입니다.

정리하자면 SNS에서 다른 사람들이 나보다 친구가 많다고 느끼는 것은 당연한 사실입니다. 내가 정말로 친구가 적기 때문이 아니라 '친구 관계의 역설' 때문이죠. 다들 나보다 맛있는 식사를 하고, 멋진 장소를 여행하는 것처럼 보이는 것도 당연합니다. 정말로 그 친구가 그런 멋진 삶을 사는 것이 아니라 예외적인 모습만 올리는 '선택 치우침' 효과 때문입니다. 그러고 보면 스스로가 행복한지 아닌지를 다른 이와 비교해 판단하지 말자는 것이 더 중요한 결론일지도 모르겠습니다.

SNS와 실제 삶

4장

과학자들의 표현법

언어를 배우는 목적은 의사소통에 있습니다. 소리나 문자를 통한 시공간 상의 의사소통은 인류가 현재의 문명을 발전시킬 수 있었던 주요한 원동력이었습니다. 사실 과학도 일종의 언어입니다. 일반적으로 과학자들 사이의 학문적인 토론을 들으면 무슨 이야기를 하는지 전혀 이해할 수 없을 겁니다. 마치 모르는 외국어 대화를 이해하지 못하는 것과 유사하죠. 그리고 과학자들 사이에서도 학문 분야가 다르면 학문적 의사소통이 무척 힘듭니다.

그래서 과학자들도 일반적인 언어를 사용하여 소통합니다. 다만 과학적으로 사용하는 단어는 일반적인 의미보다 더 엄밀하게 정의하여 사용하는 것이죠. 예를 들어, "일"이라는 단어는 일상에서 자주 사용되는 단어입니다. 국어사전을 찾아보면 '어떠한 가치의 창조를 위하여 몸과 마음을 쓰는 활동이나 작업'이라고 설명하고 있습니다. 그러나 과학에서는, 특히 물리학에서 일은 '물체에 힘을 가해 일정한 거리를 움직이는 경우, 움직이는 방향의 힘(실제로는 반작용 힘) 성분과 움직인 거리의 곱'으로 정의합니다. 만약 어떤 사람이 바위를 밀어 움직이려고 했는데 바위가 전혀 움직이지 않았다고 생각해봅시다. 그 사람은 온몸에 땀이 흐르고 거친 숨을 몰아쉬고 있을 겁니다. 엄청나게 일을 많이 했다고 생각할 수 있는 것이죠. 그러나 물리학적으로 판단하면 바위가 전혀 움직이지 않았기 때문에 움직인 거리가 0이고 따라서 한 일은 0이 됩니다.

훌륭한 문학가가 되기 위해서는 사용하는 언어에 대한 깊은 이해가 필요합니다. 또한 문장을 자유롭게 구사할 수도 있어야합니다. 훌륭한 과학자가 되기 위해서도 과학에서 사용하는 용어의 엄밀한 의미를 이해하고 표현하는 방법을 배워야합니다. 거기에 더하여 대중과의 원활한 소통을 위한 고민도 필요합니다. 비록 자연적 현상을 이해했다고 하더라도 대중적인 언어로 표현하지 못하면 뜬 구름 같은 지식이기 때문입니다.

글쓰기

수십 편의 과학 논문을 개제했고, 몇 권의 책을 썼지만 제가 글을 아주 잘 쓴다고 생각하지는 않습니다. 독서는 초등학교 때부터 남 못지않게 했지만 정작 글쓰기를 배운 것은 대학생도 아니고 대학원생이 된 이후이기 때문입니다. 정확한 글쓰기 공부를 한 것은 유럽에서, 그것도 모국어가 아닌 영어로 했다고 보는 게 옳을 것 같습니다.

유럽에서의 교육은 우리와는 다른 방식으로 이뤄집니다. 어느 수업이건 거의 예외 없이 논문 형식의 리포트를 작성해야 하죠. 유럽에 가자마자 논문이라는 것을 처음 쓰게 되었는데, 더욱이 영어로 써야 해서 무척 힘들었습니다. 결국 두 번째 학기에는 글쓰기 교양수업을 신청해 들었습니다. 당시 담당교수님은 동양에서 혈혈단신 유학 온 제가 마음이 쓰였는지 리포트 하나하나 참으로 친절하게 짚어가며 잘 고쳐주었습니다.

내 딴엔 며칠을 끙끙대며 최선을 다해 썼지만 교수님의 손길을 거치면 글이 확 달라졌습니다. 나처럼 고심하지 않고 약간만 손보는 것 같은데도 큰 차이가 났죠.

그러던 어느 날이었습니다. 그날도 제가 쓴 논문을 보여드렸는데, 그가 다짜고짜 스테이플러를 뜯어내더니 제일 뒷장을 앞으로 놓고 다시 스테이플러를 콱 찍어서 돌려주는 것이었습니다. 어리둥절한 표정을 짓고 있는 나에게 그가 말했습니다.

"넌 이제 문장 하나하나는 잘 써. 고쳐줄 것이 별로 없거든. 그런데 내가 그렇게 얘길 했는데도 안 고치는 게 하나 있어. 왜 결론부터 이야기하라는데 매번 이렇게 맨 뒤에다 두는 거야?"

결론부터 쓰는 방법은 저에게 익숙한 글쓰기가 아니었습니다. 그러니까 저는 과학적인 글쓰기를 한 것이 아니라 여전히 어릴 적 읽던 문학적인 글쓰기를 한 것입니다. 추리소설에서 결론부터 이야기하면 안 되듯이 나는 늘 모든 정황을 묘사부터 하고 나중에 결론을 이끌어 냈습니다. 그런데 그런 글쓰기는 방만해지기 쉽고 목표를 잃기도 쉬

우며 우왕좌왕하게 된다는 것이 교수님의 설명이었습니다.

소설이 아니라 과학논문을 쓰는 것이니 그 말이 맞죠. 오죽하면 논문 앞에는 요약문이 따로 있으니까요. 그만큼 결론이 중요하고 그 결론을 증명해나가는 게 관건이라는 뜻입니다.

저의 연구는 나라를 지킵니다.

닐스 보어(Niels Bohr)는 "전자는 연속적이지 않고 띄엄띄엄 양자화*되어 있는 궤도를 돈다"라고 했습니다. 이는 양자역학이 등장하는 순간이었고, 양자역학은 우리가 흔히 아는 자석의 원리를 설명하는 기본 발판입니다. 저는 대학원 시절 내내 자석을 연구했으니 언제나 양자역학을 설명해야하는 숙명을 지니고 있었죠. 하지만 양자역학이란 20세기 천재 과학자라 여겨지는 리처드 파인만(Richard Feynman)조차 이해할 수 있는 사람이 없다고 할 정도로 어려운 학문이며, 21세기가 시작된 지 20년이 흐른 지금도 난해한 것이 사실입니다. 그렇기에 내가 하는 연구를 설명할 때면 늘 "뜬구름 잡는 소리 같다.", "연구의 필요성을 이해하기 어렵다."와 같은 평가들이 따라왔습니다. 물론 과학 그 자체만 놓고 본다면 어떤 현상의 원인을 규

---

* 물리량이 연속적인 값을 갖지 못하고 특정한 값만을 갖게 되는 것

명하는 것 만해도 큰 의미가 있지만, 사회적인 측면에서 정치적인 측면에서 혹은 환경적인 측면에서의 공감을 얻지 못한다면 반쪽짜리 아닌가 하는 생각도 들었습니다. 그러한 고민 이후 저는 발표 자리에서 양자역학을 설명하는 대신 다른 이야기를 들려주기 시작했습니다.

"중동에 석유가 있다면, 중국에는 희토류*가 있다." 1992년 당시 중국 지도자 덩샤오핑이 중국 장시성을 시찰하면서 남긴 말입니다. 중국의 희토류 무기화 가능성을 상징적으로 보여주는 발언으로 알려지기도 했죠. 그리고 실제로 희토류는 무기화된 적도 있습니다. 2010년 9월, 일본의 해상보안청 순시선은 센카쿠열도 주변에서 불법 조업을 하던 중국 어선을 나포하고 중국인 어부를 구속하게 됩니다. 중국은 즉각 반발하였고, 어부의 석방을 요구하며 일본으로 희토류 수출을 완전히 끊어버립니다. 희토류 공급이 끊기자 일본은 단 3일 만에 구속하고 있던 중국인 어부를 풀어줍니다. 이는 희토류 무기화가 얼마나 강력한 효과가 있는지 보여준 사례로 회자되고 있습니다. 이 일화를 알게 된 저는 제가 하고 있는 자석 연구의 필요성을 납득시키기 위해 희토류 무기화 문제를 해결할 수 있는 과학자의 역할을 이야기하기 시작하였습니다. 희토류를 대체할 수 있는 신물질을 개발한다면 희토류의 무기화를 막을 수 있을 것이기 때문입니다. 그러자 다양한 방면의 정책들도 눈에 들어오기 시작했습니다. 일본은

---

* 지각 안에 극소량만이 함유된 금속을 뜻하는 '희유금속'의 일종으로 약 17개 원소를 총칭하는 표현

국가 차원에서 희토류 수입국을 중국 중심에서 호주 등으로 다원화했으며 토요타는 네오디뮴 사용량을 반으로 줄이고 고온에서도 자력이 손상되지 않는 신형 자석을 개발하기도 했습니다. 미쓰비시 머티리얼즈 역시 2016년 생활가전에서 나오는 모터에서 네오디뮴을 회수하는 기술을 개발하고 공동개발사인 마크코퍼레이션은 자석 회수 사업을 시작했습니다.

과학은 과학자들의 전유물이 아닙니다. 과학자의 역할이란, 그 의미를 제대로 해석하고 그 가치를 모두가 누릴 수 있게 하는 것 아닐까요.

저의 연구는 북극곰을 살립니다.

자기열량효과를 활용한 자기냉각 기술을 개발할 때도 비슷한 일화가 있었습니다. 자기열량효과란 자기장을 활용하여 자성재료의 온도를 변화시키는 것이고, 이를 활용하여 저온을 생성하는 것이 자기냉각입니다. 위 일화와 마찬가지로 전문적인 영역에서는 자기열량효과가 생기는 과학적인 원리에 대한 설명 등이 중요한 게 맞습니다. 하지만 연구의 필요성을 설득해야하는 상황이나 본 연구를 활용해줄 분야를 찾을 때는 깊이 있는 설명보다는 넓은 시야를 가진 대화가 더 필요했습니다. 그때 저는 PPT 첫 장에 녹아내리는 빙하와 북극곰 사진을 넣었습니다. 과학과는 거리가 멀어 보이는 환경과 에너지 문제를 이야기하며 발표의 포문을 열었던 것이죠. 잘 사용 중인 프레온 냉각이 존재하는데 자기냉각을 개발해야하는 이유는 프레온 가스가 온실가스이기 때문입니다. 몬트리올 의정서로 알려진 국제 환경 조약에 따라, 2010년 이후 전 세계 국가들은 프레온 가스의 생산과 사용을 단계적으로 중단했고 프레온 배출은 거의 제로에 근접할 정도로 감소했습니다. 그러나 네이처 지오사이언스(Nature Geoscience) 저널에 발표된 연구에 따르면 프레온 가스 금지령이 발효된 이후에 오히려 그 하위성분의 배출량은 증가했다고 합니다. 저널 홈페이지에 실린 연구 요약에 따르면, 하위성분 배출원이 어디인가는 결정하지 않았지만, 적어도 일부는 프레온 가스를 대체하는 화학 냉매인 수소불화탄소의 제조과정에서 발생했을 수 있다고 추정했습니다. 한마디로 '프레온 가스를 사용하지 말자.'는 그저 근시안적인 대안일 뿐 온실가스 배출을 중단시킬 수 있는 근본적인 대체제가 필요하다는 의미입니다. 학생 때는 관심도 없었던 몬트리올 의정서에 대한 공부덕분인지 혹은 북극곰 효과였는지는 모르지만 10년간 꾸준히 연구비를 지원받을 수 있었습니다.

사랑도 과학인가

부모와 자식 간의 사랑이든 남녀 간의 사랑이든 또는 친구 사이의 사랑이든, 사랑은 우리를 밝고 좋은 세상으로 이끌어 가는 힘입니다. 눈에 보이지 않지만 마치 서로를 질긴 끈으로 꽁꽁 매놓은 매듭과도 같아서 한 번 매 놓으면 풀기 어려운 것이기도 하죠.

어느 날 물리학 강의 도중 잠깐 숨을 돌리는 아인슈타인에게 한 학생이 물었다고 합니다.

"박사님은 모든 물체 사이에 작용하는 상대성 원리도 발견하시고 수식화 하셨습니다. 그렇다면 사람들 사이에 오가는 사랑도 방정식으로 표현하실 수 있습니까?"

잠시 생각하던 아인슈타인은 다음과 같은 사랑 방정식을 만들어 냈습니다.

$$\text{Love} = 2\square + 2\triangle + 2\bullet + 2V + 8\langle$$

그리고 다음과 같이 설명했습니다.

"가지 않으면 안 될 길을 마지못해 떠나가며, 못내 아쉬워 뒤돌아보는 그 마음! 갈 수 없는 길인데도 따라가지 않을 수 없는 간절한 마음! 그 마음이 바로 사랑이다."

아인슈타인의 사랑에 관한 재치 있는 수식은 사랑의 감성적인 면을 나타낸 것입니다. 그렇다면 진짜로 수학을 이용하여 사랑을 설명할 수 있을까요?

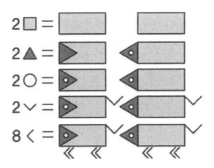

사랑을 수학으로 설명하기 위하여 우선 위상수학(topology)이라는 것을 알아야 합니다. 위상수학을 간단히 말하자면 공간 속의 점, 선, 면 그리고 위치 등에 관하여 양이나 크기와는 상관없이 형상이나 위치 관계를 나타내는 수학과 과학의 한 분야입니다.

이를테면 진흙 덩어리를 가지고 둥근 공을 만들었다가 공 모양을 변형하여 긴 막대기나 손잡이가 없는 컵을 만들 수 있습니다. 이때, 모양은 공에서 막대기나 컵으로 바뀌었지만 진흙 덩어리가 모래로 바뀌었다든지 서로 떨어졌다든지 구멍이 뚫렸다든지 하는 변형은 없습니다. 이럴 경우 우리는 둥근 공과 막대기 그리고 손잡이가 없는 컵은 위상적으로 동형이라고 합니다. 그러나 구멍 뚫린 도넛과 공은 위상적으로 동형이 아닙니다. 구멍 뚫린 도넛은 구멍 뚫린 손잡이가 달린 컵과 위상적으로 동형입니다.

1950년대 말쯤부터 영국의 수학자 지이만(Erik Christopher Zeeman)이 처음으로 위상수학을 수학 이외의 다른 과학에 응용하기 시작하였습니다. 그는 뇌의 위상적 모델을 만들어 여러 가지 현상을 해석함으로서 많은 수학자들의 관심을 끌었죠.

이에 자극을 받은 톰(Rene Thom)은 수학의 이론을 생물학과 물리학 더 나아가 사회과학에 응용할 수 있는 방법을 생각했고, 1973년 말, 〈구조안정성과 형태형성의 이론〉이라는 책을 출판했습니다. 톰은 이 책에서 갑작스러운 큰 변화를 카타스트로피(catastrophe, 파국)라고 하며 이 '파국'을 어떻게 수학적으로 파악하는가에 관한 자신의 생각을 정리했습니다.

사랑으로 파국이론을 간단히 알아봅시다.

이제 막 사랑을 시작하는 젊은 남녀가 있습니다. 그들의 사랑을 수치적인 양으로 나타내기는 힘들지만, 둘은 시간이 흐를수록 상대방에게 더욱 깊은 사랑의 감정을 갖게 되었습니다. 이들은 서로를 사랑하는 동안 몇 차례 싸움도 했습니다. 아름다운 사랑을 만들어가던 연인은 어느 날 하찮은 일로 심하게 싸우게 되었습니다. 그래서 화가 난 여자는 남자를 사랑하던 마음이 시들게 되었습니다. 하지만 예전의 사랑을 되찾고 싶어 하는 남자는 어떤 방법으로 여자에게 화해를 청할까 생각하다가 편지를 쓰기로 했습니다. 그래서 남자는 사랑하는 연인에게 짧지만 진심이 가득 담긴 화해의 편지를 정성껏 써서 보냈습니다. 편지를 읽어본 여자는 남자의 진심에 너무 감동한 나머지 남자를 사랑하는 마음이 벅차올랐습니다. 결국 그들의 사랑은 다시 뜨거워졌고 예전보다 더욱 더 사랑이 깊어지게 되었습니다.

이 이야기를 수학적으로 표현하기 위하여 다음과 같은 그래프로 나타내어 봅시다.

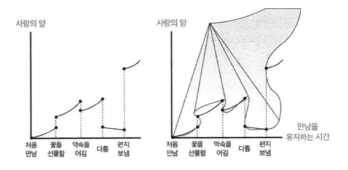

왼쪽의 그래프는 불연속적인 현상을 나타낸 것이고, 오른쪽의 그래프는 이들을 포함하는 곡면이 있음을 나타낸 것입니다.

이 그림에서 두 사람의 사랑이 처음 만남을 가졌을 때부터 꽃을 선물할 때까지 연속적으로 변한다는 것을 알 수 있습니다. 그러나 꽃을 선물한 다음은 사랑의 감정이 위로 점프했습니다. 또 약속을 어긴 이후에 연속적으로 변하던 곡선이 말다툼이 있은 다음에는 밑으로 점프한 것을 알 수 있습니다. 그리고 남자의 편지를 받고 둘이 화해를 한 이후에는 기존에 있던 양보다 훨씬 많이 점프했습니다. 이런 복잡한 불연속을 어떤 한 곡면 위에 모두 나타낼 수 있고 그 곡면의 성질로부터 주어진 문제를 해결할 수 있다는 것이 파국이론입니다.

여전히 난해하고 어렵지만 사랑이라는 것에 과학적으로 다가가기 위한 한 노력의 예시입니다.

과학과 사랑이 또 다른 것으로 엮일 수 있다면, '인류에게 소중한 가치'라는 공통분모로 묶일 수 있지 않을까요.

싸움이 아니라 논쟁

1900년 영국 물리학자 윌리엄 톰슨(William Thomson)은 영국과학진흥협회에서 이렇게 선언했습니다.

"이제 물리학에서 새로운 발견이 이루어질 가능성은 없다. 우리에게 남은 과제는 관측의 정확도를 높이는 것뿐이다."

뉴턴의 고전물리학이 절정에 이른 19세기 후반, 과학자들은 과학이 완성 단계에 있다고 생각했습니다. 그러나 19세기에서 20세기로 넘어가면서 물리학계에는 지각변동이 일어났습니다. 상대성이론과 양자역학이 뉴턴의 고전물리학 체계를 송두리째 흔들었거든요.

모든 것은 '빛이란 무엇인가?'라는 근원적인 질문에서 시작되었습니다. 이것은 마치 신의 존재 혹은 생명의 근원에 대한 의문처럼 오래되고 중요한 문제입니다.

빛에 관한 과학적 연구는 17세기에 본격적으로 시작되었습니다. 네덜란드 물리학자 호이겐스(Christian Huygens)는 빛이 '파동'이라 주장하며 간섭과 회절 현상을 설명했습니다. 영국 물리학자 뉴턴(Sir Isaac Newton)은 프리즘에 빛을 통과시켰을 때 일곱 가지 색으로 나뉘는 실험을 통해 가시광선의 정체를 밝혀냈습니다. 그는 실험 결과를 통해 빛은 작은 '입자'의 흐름이라고 주장했습니다. 그러다 영국의 영(Thomas Young)과 프랑스의 프레넬(Augustin Jean Fresnel)이 좁은 틈을 이용해 빛을 투과시키는 실험을 통해 빛의 파동성을 입증했습니다. 영국의 맥스웰(James Clerk Maxwell)과 독일의 헤르츠(Heinrich Rudolf Hertz)도 빛이 전자기파의 일종이라고 설명하며 파동설에 힘을 실었죠.

그러나 1905년 독일 출신 미국의 물리학자 아인슈타인(Albert Einstein)이 빛 에너지는 광자라고 하는 작은 알갱이로 양자화되어 있다는 광양자설(Quantum Theory)을 제안했습니다. 아인슈타인은 빛(광자)을 금속 표면에 쪼여줄 때 금속 표면에서 전자가 튀어나오는 광전효과를 설명하면서 빛의 입자적 측면을 지지했던 것입니다. 아인슈타인의 뒤를 이어 1913년 덴마크의 보어(Niels Henrik David Bohr)가 원자모형으로, 1923년 미국의 컴프턴(Arthur Holly Compton)이 엑스선(X-ray) 산란 효과로 광양자설을 뒷받침했습니다.

빛의 정체에 대한 과학자들의 논쟁은 식을 줄 몰랐습니다. 하지만 실험적으로 검증된 사실을 반박하기는 어려웠습니다. 결국 빛은 파동이면서 입자라고 결론 내리며 논쟁은 종결되었죠. 물론 '빛의 이중성'을 받아들이는 과정은 전혀 간단하지 않았습니다. 현실에서 그런 일을 겪는 것은 불가능하며 우리는 어쩔 수 없이 경험을 바탕으로 사고하기 때문입니다.

1927년 보어는 양자 세계에서 빛의 이중성을 설명하기 위해 '상보성 원리(Complementarity principle)'를 제안했습니다. 빛은 간섭이나 회절 실험에서는 파동의 성질을 보여주고, 광전효과 실험에서는 입자의 성질을 나타냅니다. 그러나 파동성이나 입자성이나 빛의 두 가지 성질은 한 가지 실험에서 동시에 나타나지는 않습니다. 여기에 독일 물리학자 하이젠베르크(Werner Karl Heisenberg)의 '불확정성의 원리'를 더해 '코펜하겐 해석'이라고 합니다. 불확정성의 원리는 어떤 물체의 상태 즉 위치와 운동량은 동시에 정확하게 측정할 수 없다는 것입니다. 코펜하겐 해석은 현재까지 양자역학에서 가장 보편적으로 받아들여지고 있는 해석입니다.

1935년 오스트리아 물리학자 슈뢰딩거(Schrodingers Katze)는 코펜하겐 해석을 부정하고 양자역학의 불완전함을 보여주기 위해 '슈뢰딩거의 고양이'라는 사고 실험을 고안했습니다. 상자 속에 반감기가 한 시간인 방사성 물질과 청산가리가 든 병 그리고 고양이가 들어있습니다. 방사성 물질이 붕괴하면 연결된 방사능 검출 계수기가 작동하면서 망치가 청산가리가 들어있는 병을 깨고, 고양이는 청산가리를 흡입해 죽게 될 것입니다. 방사성 물질은 50% 확률로 붕괴되도록 세팅되어 있습니다.

한 시간 뒤 고양이는 어떻게 되어있을까요? 코펜하겐 해석에 따르면 어떤 물질의 상태는 그 상태를 관측하면 변합니다. 즉 고양이는 상자를 열어 관찰하기 전까지 살아있지도 죽어있지도 않으며, 상자를 열어 우리가 관찰하는 순간 살았거나 죽은 상태 가운데 한 가지 상태로 확정됩니다.

슈뢰딩거는 이것이 틀렸다고 주장했습니다. 고양이는 우리가 상자를 여는 행위(관찰)와 상관없이 살아있거나 죽어있으며, 단지 상자 밖에 있는 우리가 이 사실을 모를 뿐이라고 했습니다. 원자나 전자처럼 작은 미시세계가 아닌 거시세계, 즉 우리의 현실에 불확정성 원리와 코펜하겐 해석을 적용한다면 얼마나 이상하게 느껴지는지 슈뢰딩거는 이 사고 실험을 통해 역설하고자 했습니다.

고전역학에 의하면 위치와 속도처럼 한 쌍의 물리량은 항상 동시에 측정할 수 있다고 생각했습니다. 측정값이 불확정한 것은 측정기술이 부족했기 때문이라고 봤던 것입니다. 하지만 양자역학에서 입자의 위치와 속도는 동시에 확정된 값을 가질 수 없습니다. 한 가지를 정확히 알게 되면, 다른 한 가지에 대해서는 점점 더 정확도가 떨어집니다. 우리는 물리량의 정확한 값을 알 수 없고, 그것은 오로지 확률로만 존재하게 됩니다.

"빛은 파동이며 동시에 입자입니다."

이 문장을 받아드리기 위해 참 많이 논쟁과 혼란과 아픔이 있었습니다. 덕분에 현대물리학의 새로운 장이 열렸죠.

독일의 문호 헤르만 헤세(Hermann Hesse)가 쓴 소설 〈데미안〉에 이런 문장이 나옵니다.

"새는 알을 깨고 나온다. 알은 세계다. 태어나려는 자는 하나의 세계를 파괴해야 한다."

새가 태어나기 위해서는 반드시 자신을 둘러싸고 있는 알을 깨야 합니다. 새로운 세계는 기존 규범을 파괴해야 열립니다. 현대물리학은 새가 알을 깨고 나오듯 절대적인 믿음을 깨트리며 세상에 나온 것이 아닐까요.

그리하여 빛은 파동이며 동시에 입자입니다.

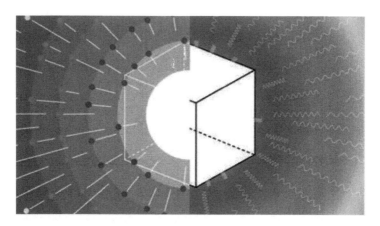

빛의 이중성

행운은 과학이다.

모든 게 다 때가 있습니다. 때가 되었다고 일이 되는 것은 또 아닙니다. 옛 어른들 말씀처럼 다 '운때'가 맞아야 합니다. 열심히 노력했는데 목표를 이루지 못한 친구를 위로할 때 우리가 하는 말이기도 합니다. '운때'의 '운'은 좋을 수도 나쁠 수도 있습니다. 운이 좋았는지 나빴는지는 막상 일이 벌어지고 난 다음에야 말할 수 있어서, 과학자 사회에서 운은 일종의 금기어입니다. 재밌는 실험 결과의 이유로 '운이 좋아서'라고 적은 논문은 단 하나도 없습니다. 과학은 오늘의 정보로 내일을 얘기하려 하는데, 운은 거꾸로이기 때문입니다. 오늘 운이 좋았는지는, 하루가 지나야 알 수 있습니다. 돼지꿈 꾸었다고 로또 당첨을 바라는 것은 분명 비과학적이지만, 로또 당첨자를 모아 물어보면 운이 좋아 당첨되었다고 대답할 사람이 많습니다. 즉, 당첨되었으니 운이 좋았다고 생각하는 거지, 운이 좋아서 당첨된 것은 아닙니다. 이처럼 운은 과학자의 눈에 달갑지 않은 단어입니다. 그런데 '운때 맞음'에서 '운'을 뺀 '때맞음'은 분명한 과학입니다.

남녀가 만났습니다. 남자는 첫눈에 반했지만 여자는 아무 관심 없습니다. 함께 사랑에 빠지려면 때가 맞아야 합니다. 다른 동물도 비슷합니다. 미국에 사는 매미 중에는 '17년 매미'가 있습니다. 오랜 기간 땅 속에 살다 17년마다 지상에 나와 짝짓기를 한다고 합니다. 매미 한 마리가 땅 속 외로움에 지쳐 1년을 더 못 참고 16년 만에 나오면 짧은 나날을 지내다 홀로 외롭게 생을 마칠 수밖에 없습니다. 17년이라는 주기로 다른 매미와 때를 맞춘 개체만 자손을 남기는 것이죠. 그러고 보니 17은 또 소수이기도 합니다. 나누어떨어지는 약수가 1과 자기 자신 밖에 없습니다. 이 매미의 번식 주기 17년은, 천적과의 '때맞음'을 피하려는 생존전략의 진화의 결과입니다. 천적이 예측할 수 없는 시기에 동시에 여럿이 함께 땅 위로 나오면, 성공적인 짝짓기로 자손을 남길 확률이 커집니다.

우리 모두의 고향 지구는 하루에 한 번 24시간을 주기로 자전합니다. 해가 져 밤이 깊어지면 졸음이 와 잠들고, 굳이 알람을 맞춰 놓지 않아도 아침이면 자연스레 눈이 떠집니다. 우리 인간의 생체 리듬은 지구의 자전과 '때맞음'되어 24시간이 주기입니다. 궁금한 것 많은 과학자들이 실험을 했다고 합니다. 낮인지 밤인지 전혀 알 수 없게 외부의 빛이 차단된 방에서 한두 주 살게 하면 이 사람의 생체리듬은 어떻게 될까요. 이때도 인간의 생체 주기가 여전히 24시간 정도라는 결과를 얻었습니다. 오랜 기간 지구에서 살아온, 사람을 포함한 많은 동물 종은 이처럼 지구의 자전주기에 '때맞음' 되어 있습니다. 밤에 피는 꽃, 정오에 피는 꽃, 다양한 꽃을 화단에 심고는 어떤 꽃이 피어 있는지를 봐 지금이 몇 시인지 알 수 있지 않을까 하는 재밌는 아이디어를 낸 사람도 있습니다. 바로 생물 분류학에 큰 기여를 한 스웨덴 식물학자 린네(Carl von Linné)입니다. 지구 자전과 때맞음 된 '약 하루 정도의 주기(circadian rhythm)'의 분자적 구조를 밝힌 연구가 2017년 노벨 생리의학상을 받기도 했습니다.

우리 일상에서도 '때맞음'을 쉽게 볼 수 있습니다. 여럿이 함께 운동장을 돌며 구보를 한다고 상상해봅시다. 세상에 똑같은 사람은 없으니, 혼자 달릴 때는 각자 속도가 다 다릅니다. 여럿이 구보를 해도 다른 사람이 어떻게 달리는지 전혀 눈치를 보지 않으면, 사람들이 집단을 이뤄 같은 속도로 함께 달릴 리는 없습니다. 하지만, 사람들이 서로 옆 사람, 앞 사람, 눈치를 보며 함께 달리려 노력하면, 결국 모두가 하나가 되어 같은 속도로 나란히 운동장을 돌게 됩니다. 상호작용하니 '때맞음'이 일어나는 것입니다. 어렵게 사람을 모아 힘들게 달리기를 부탁하지 않아도, 쉽게 '때맞음'을 볼 수 있는 다른 방법이 있습니다. 여럿이 모인 청중에게 박수를 치면서 귀에 들리는 다른 사람의 박수에 맞춰 자신의 박수를 조율해 달라고 부탁하면 됩니다. 청중이 아주 많지 않다면, 그리 길지 않은 시간에 사람들이 짝, 짝, 짝, 박자를 맞춰 함께 '때맞음'된 박수 소리를 만들 것입니다.

'때맞음'은 과학이어도 '운때 맞음'은 과학이 아니라는 말로 글을 시작했지만 어쩌면 '운때'의 '운'은 나를 둘러싼 모두가 함께 만들어내는, 마치 '때맞음' 된 박수 같은 것일지도 모르겠습니다. 최종적으로 하나가 된 박수에 각자는 자신의 박수를 맞춘다고 생각하지만, 사실 전체가 합의한 박자는 우리 모두가 함께 만든 것입니다. 어쩌면, '운때 맞음'의 '운'은 나를 포함한 동시대를 살아가는 우리 모두가 함께 만들어내는 어떤 것이 아닐까요. 만약 '운'이 이런 것이라면, '운때 맞음'도 과학이 될 수 있습니다.

우연과 필연

19세기 중반 윌리엄 해밀턴(William Hamilton)은 운동법칙을 기술하는 새로운 원리를 제시합니다. 물체는 '어떤 물리량'을 최소로 만드는 경로를 따라 움직인다는 것입니다. 이게 무슨 뜻인지 알기 위해 자유낙하 하는 물체를 생각해봅시다. 뉴턴의 관점에 따르면 내가 물체를 놓는 순간, 물체는 중력에 의해 가속되어 수직으로 낙하하기 시작합니다. 시간이 지남에 따라 낙하속도는 점점 빨라지죠. 하지만 해밀턴의 관점은 조금 다릅니다. 물체는 여러 경로와 과정을 거쳐 땅바닥에 도달할 수 있습니다. 원형의 경로나 하트 모양의 경로를 따라 낙하하거나, 직선으로 떨어지더라도 처음에 빨랐다가 나중에 느리게 갈 수도 있고, 그냥 일정한 속도로 떨어질 수도 있다는 겁니다. 하지만 가능한 모든 경로와 과정들에 대해 작용량(action)이라 부르는 물리량을 계산해보면, 뉴턴역학이 예상하는 경로와 과정에서 그 값이 언제나 가장 작습니다. 그래서 그렇게 낙하하는 겁니다. 이건 우연일까요?

이 글만 읽어서는 뭔가 마술 같은 일이 일어난 것 같지만, 수학을 들여다보면 당연한 결과입니다. 마치 2를 3번 더한 것이 2 곱하기 3과 같은 것처럼 말이죠. 결국 뉴턴역학과 해밀턴역학은 물체의 운동에 대해 동일한 결과를 줍니다. 하지만 철학적으로 미묘한 차이가 있습니다. 해밀턴역학에서는 작용량을 최소로 만들려는 '경향'이 물체의 운동을 결정합니다. 그래서 이것을 '최소작용의 원리'라고 부릅니다. 이 원리가 작동하려면 가능한 모든 미래의 경로를 미리 내다보며 작용량을 계산해야 합니다. 헵타포드는 이런 틀로 세상을 보고 있었던 것입니다. 어떤 이들은 최소작용의 '경향'을 '의도'로 바꾸고 싶은 유혹을 느낄 것입니다. 실제 해밀턴의 아이디어는 피에르 루이스 모페르튀이에서 나온 것인데, 모페르튀이는 최소작용의 원리를 신학과 결부시켰습니다. 이 세상은 누군가의 의도에 의해 굴러간다는 겁니다. 누군가는 바로 '신(神)'이겠죠.

생물학자 자크 모노(Jacques Monod)는 그의 저서 〈우연과 필연〉에서 생명이 갖는 기묘한 특성에 대해 이야기합니다. 생명체의 구조나 그것이 활동하는 모습을 보면, 어떤 의도를 추구하는 것으로 보인다는 겁니다. 날아다니는 벌을 한번 떠올려볼까요. 이들은 꿀을 구할 목적으로 꽃을 찾고, 동료들에게 위치를 알려주기도 합니다. 자연법칙은 이러한 의도를 어떻게 설명할 수 있을까요? 자연에 의도가 있다는 생각은 근대과학의 기본 태도와 정면으로 배치됩니다. 다음은 자크 모노의 말입니다. "과학은 객관적이어야 한다. 현상을 설명하는 데 어떤 목적인(目的因)이나 의도를 끌어들여서는 참된 인식에 도달하지 못한다. 따라서 이런 것들은 체계적으로 거부해야 한다."

우주에 의도가 있다고 하면 모든 과학적 난제가 일거에 해결됩니다. 우주는 왜 생겨났을까? 신의 의도 때문이라 답하면 됩니다. 인간은 왜 존재하나? 신이 원해서라 답하면 됩니다. 고온 초전도 현상은 왜 존재하나? 신이 그런 현상이 있기를 바라기 때문이겠죠. 실제 많은 문명이 이런 식으로 이해할 수 없는 문제에 답을 해왔습니다. 우리도 뭔가 이해 안 되는 일이 벌어지면 하늘의 뜻이라고 하니까요. 서양의 근대과학이 특별한 것은 바로 신의 의도를 제거하고 세상을 이해하려 시도했다는 점입니다.

그렇다면 생명이 보여주는 생존의 욕구, 더 많은 자손을 남기려는 의도는 과연 무엇일까요? 이에 대해서 현재 우리가 가진 과학적인 답은 '진화론'입니다. 진화에는 의도가 없습니다. 주사위 던지듯이 무작위로 모든 가능성이 펼쳐집니다. 검은 나방도 나오고 흰색 나방도 나오죠. 세상이 밝을 때는 흰색 나방만 살아남습니다. 검은색은 포식자인 새의 눈에 잘 띄기 때문입니다. 세상이 어두워지면 검은색 나방이 살아남습니다. 이런 식으로 조금씩 환경에 적응하려고 애쓰는 과정에서 인간과 같이 고도로 복잡한 생명체마저 나올 수 있었던 겁니다. 우리가 하는 모든 행위들도 적응하여 살아남기 위해 선택된 행동일 뿐입니다. 그것에 대해 의도라고 부르는 것은 마치 알파고가 이길 의도로 바둑을 두었다는 것과 비슷한 말입니다. 진화론의 시각에서 생명은 우연의 산물입니다. 우리가 필연이라고 부르는 것은 일어난 사건에 대해 그렇게 해석을 하는 것뿐입니다.

5장

과학자들의 태도

체력을 위한 운동을 게을리 하지 않는다.

독일인 베른트 하인리히(Bernd Heinrich)가 쓴 '뛰는 사람'이라는 책을 읽은 적이 있습니다. 저자가 이 책을 쓸 당시엔 이미 80대 노인이었고, 책은 그가 79세에 내걸었던 두 가지 거창한 목표로 인해 완성된 것이었습니다. 79세이던 그의 목표는 다음과 같았습니다.

"하나는 80세가 되는 해에 100킬로미터 달리기에 도전하는 것. 나머지 하나는 스스로를 실험용 기니피그로 삼아, 내 연령대에서 세계 기록을 세운 다음 그걸로 책을 쓰는 것."

제가 2018년 사막마라톤에 참가했을 때 65세가 참가자가 최고령이었던 걸로 기억합니다. 나이가 있긴 했으나 그 참가자는 체력으로 완전무장 된 전직 소방관이자 42km의 풀코스 마라톤을 300회 이상 완주한 프로였죠. 그래서인지 20대였던 저보다도 훨씬 더 좋은 기록으로 완주하더군요. 그렇다면 80세에 100킬로미터를 달리겠다고 선언한 저자 베른트 하이리히는 뭘 하던 사람일까요? 이쯤 되면 전직 마라토너가 분명하지 않을까요? 물론 마흔 살에 참가한 보스턴 마라톤 기록이 자그마치 2시간 25분 25초에 달하긴 하지만 그의 직업은 마라토너가 아닙니다. 그의 본업은 놀랍게도 과학자이자 교수였습니다. '우리 시대의 소로' 혹은 '현대의 시튼'이라 불릴 만큼 뼛속까지 생물학자인 사람입니다. 일반인 독자들을 위해 연구 결과를 여러 권의 책으로 써낸 작가이기도 합니다. 이게 어떻게 가능한 일일까요? 온종일 책상에 앉아 책을 읽고, 골치 아픈 논문을 쓰고 잘 보이지도 않는 곤충이나 생물을 자세히 들여다봐야 하는 사람이 과학자입니다. 우리가 가진 선입견으로 그런 직업을 가진 사람은 몸을 쓰지 않거나, 쓰지 못하거나, 움직이는 걸 싫어합니다. 하지만 앞서 말한 것처럼 온종일 책상에 앉아 책을 읽고, 골치 아픈 논문을 쓰고 잘 보이지도 않는 곤충이나 생물을 자세히 들여다봐야 하기 때문에 남다른 체력이 필요합니다. 아마 달리기로 쌓은 체력은 그의 연구에 필요한 뇌를 더욱 잘 가동시켰을 것입니다. 그리고 달리기로 생긴 지구력은 책상에 앉아 있는 오랜 시간을 힘들지 않게 도와줬을 것입니다. 또한 달리기로 얻은 활력은 오래 들여다보고 기다려야 하는 연구의 지루함을 상쇄시켰을 것 이구요. 당신은 지금 하고 있는 일이 좋은가요? 또는 몹시 중요한 일인가요? 그래서 오랫동안 잘하고 싶은가요? 그러니 운동할 틈이 어디 있겠냐고요? 그럴수록 일에만 미치도록 집중하고 시간을 투여하는 것은 숲을 보지 못하고 미래를 내다보지 못하는 단기적인 발상입니다. 머리 쓰는 데 비례할 만큼, 몸을 쓰는 데도 시간과 관심을 할애해야 합니다. 그래야만 그 일을 더 오래, 더 잘할 수 있거든요.

당연한건 없다.

〈사피엔스〉의 저자 유발 하라리(Yuval Harari)는 한 국내 일간지
와의 인터뷰에서 이렇게 말했습니다.

「어느 것도 당연한 것으로 받아들이지 말라 지금까지는 20대까지 공부한 걸로
 평생 먹고 살았다. 하지만 앞으로는 나이 예순에도 여든에도 끊임없는 자기 계
 발을 해야 할 것이다. 구체적으로 뭘 배워야 할지는 알 수 없다. 하지만 경직되어
 있는 사람, 마음이 유연하지 않은 사람은 버티기 힘들 것이다. 감정 지능과 마음
 의 균형 감각이 중요한 이유다.」

20세기에는 대학 4년 동안 배운 걸로 평생 먹고 살 수 있었습니다
만 지금은 그렇지 않습니다. 새로운 분야가 끊임없이 생기고 있고, 기
존의 범주로는 정의할 수 없는 경우도 많습니다. 상황이 이렇다보니
전통적인 학문구획에 얽매여서는 새로운 문제에 대처할 수가 없습니
다. 필요하다면 전혀 엉뚱한 분야의 전문지식도 갖다 써야 하는 것이
고, 심지어 없던 지식을 새로 만들어내기도 해야 합니다.
　그러니까, 알파고 시대가 요구하는 능력은 기존의 학문구획을 뛰어

넘어 다양한 전문지식을 한데 모아 새로운 지식과 정보를 창출하는 능력입니다. 이 과업을 가장 잘 수행했던 사람들이 바로 과학자들이었습니다. 이들이 행했던 과학은 지식창출의 가장 훌륭한 플랫폼이었습니다. 근대과학을 확립한 뉴턴은 미적분학이라는 새로운 수학을 만들었고, 공학자는 세상에 없던 물건들을 만들어냅니다. 미시세계를 지배하는 양자역학은 전례 없이 완전히 새로운 논리 위에 구축된 과학이론이죠.

"어느 것도 당연한 것으로 받아들이지 말라(Nullius in verba)."

유발 하라리의 영향 때문인지 저 또한 이 문장을 자주 인용합니다. 과학과 관련된 지식을 하나 더 얻는 것보다, 남의 말을 쉽게 믿지 않고 항상 스스로 확인하는 자세를 가지는 게 중요하다고 생각하기 때문이죠. 사실 이건 과학의 출발이기도 합니다. 실제로 물리학과에 처음 들어갔을 때 역학을 가르치던 교수님의 말씀이 아직도 기억에 남습니다. 논문이든 교과서든 자신이 스스로 확인하기 전까지는 절대로 쉽게 믿지 말라고 하시더군요.

이공계 대학의 과학 글쓰기 수업에서 자주 등장하는 과제가 하나 있습니다. '무엇이 어떻게 작동하는지'를 설명하는 것이죠. 평소 당연하게 받아들이거나 수식으로만 이해하던 내용을 글로 설명하다 보면 과학적 원리나 도구의 작동방식 등에 대해 더 확실하게 깨달을 수 있습니다. '사과가 땅으로 떨어지는 현상', '컴퓨터 키보드를 눌렀을 때 화면에 글자가 나타나는 현상', '씨앗이 자라서 나무가 되는 현상' 등 잘 알고 있거나 평소 너무 당연하게 생각해 심각하게 고민해 보지 않았던 것을 글로 적다보면 내가 아는 지식이 얼마나 얕은지 깨달을 수 있습니다. 이렇듯 과학은 당연하게 생각하던 것을 의심하는 문제의식에서 출발합니다.

불확실성 원리

〈과학의 종말〉이라는 책에서 저자인 존 호건(John Horgan)은 저명한 과학자들을 면담하면서 현대 과학에서도 과거와 같은 대발견이 가능한지 묻습니다. 그러니까 책 제목에서의 종말이라는 말은 완벽한 과학의 완성을 의미하는 것입니다. 원래 영문학자였던 호건은 문학비평이 학자마다 다른 것에 염증을 느끼고 이른바 확실성을 찾아 과학으로 개종한 인물입니다.

호건뿐 아니라 과학을 업으로 삼지 않는 사람들은 대부분 막연하게 과학의 확실성에 대한 환상을 품는 경향이 있습니다. 오늘날 우리가 그 토대 위에서 살아가고 있는 근대과학은 지금까지 다른 학문 분야에 비해 상대적으로 높은 설명력을 제공해왔다고 볼 수 있으니까요. 따라서 통상적인 관점에서 보면 과학에 대한 일반적인 믿음은 얼마간 근거를 가진다고 볼 수 있고, 과학은 불확실성과는 관계가 없거나 최소한 상당히 거리가 먼 무엇으로 간주 될 수 있는 것입니다. 그렇지만 정말 그러할까요?

사실 오늘날 과학을 둘러싼 논쟁들을 살펴보면 이러한 확실성에 대한 통념이 무색할 지경입니다. 유전자 조작 식품이 인체와 생태계에 미치는 영향, 배아복제의 윤리성, 원자력 에너지의 계속 사용을 둘러싼 논쟁, 핵폐기물 처리장 건설 논쟁 등 우리나라에서 굵직한 사회적 이슈가 되었거나 되고 있는 논쟁들에는 예외 없이 복수의 전문가 견해가 등장했습니다. 또한 내로라하는 과학자들도 단일한 결론에 도달하지 못하거나 법정에 결정을 위임하는 사태로까지 발전하기도 합니다.

확실성과 동의어로 간주 되어온 과학이 오늘날 겪고 있는 상황은 어떻게 해석해야 할까요? 과학은 확실한데, 다만 그것을 해석하고 적용하는 사람들의 문제일까요? 아니면 과학에 대한 인식, 나아가 과학의 성격이 바뀌었다고 보아야 할 것인가요?

과학의 불확실성 문제와 관련된 주제로 1990년대 중반 이후 유럽을 중심으로 확산된 담론이 '신뢰의 위기'입니다. 그 발단은 광우병(BSE)이었고, 영국 정부는 발병 초기에 광우병의 인체 위해 여부를 투명하게 다루지 못했다가 영국은 물론 전 세계적으로 인간 광우병 파문을 불러일으켜 국민들의 심각한 불신을 초래했죠. 이러한 행보는 이후 유전자 조작 식품 시판을 둘러싼 논쟁에서도 비슷한 양상으로 재현되었습니다. 영국 상원이 2000년에 발행한 보고서는 "많은 사람들이 생명공학과 정보기술의 빠른 발달에 불안해하고, 심지어는 일상적인 목적으로 사용하는 기술에 대해서까지도 신뢰하지 못하는 경향이 있다"라고 말하며 "이러한 신뢰의 위기는 영국 사회와 영국의 과학 모두에 매우 중대한 문제"라고 쓰고 있습니다.

이 대목에서 어떤 독자는 "맞아. 문제는 대중들의 괜한 불안감이야"라고 생각할지 모르지만, 이 보고서는 문제의 원인을 대중이나 언론이 아닌 과학 그 자체와 과학을 대표하는 과학자 사회와 정부에게 돌리고 있습니다. 이 보고서의 첫 번째 주제가 '과학과 불확실성'이며, "우리를 둘러싼 세계와 그 세계에 대한 지식을 생산하는 과학 모두 불확실하다"라는 전제에서 논의를 출발시키기 때문입니다. 심지어 보고서는 "시스템이 복잡하고 카오스적이기 때문에 지구가 태양 궤도를 돈다는 사실처럼 우리가 지금까지 확실하다고 생각한 것에도 불확실성이 개입할 수 있으며, 유전학처럼 빠른 속도로 발전하는 과학 분야에서는 많은 것들이 불확실한 상태이다"라고 지적합니다. 이 보고서는 이러한 '본질적' 불확실성의 문제 때문에 과학기술을 둘러싼 의사결정은 일부 전문가들에게 맡겨둘 수 없으며, 시민들의 다양한 관점을 참여시켜 가능한 한 불확실성을 최소화할 필요가 있다고 결론 내립니다. 어느 과학자도 확실성을 담보할 수 없기 때문에 시민사회의 다양한 관점을 포괄해서 사회적 합의를 통해 불확실성을 최소화하는 것이 바람직하다는 뜻이죠.

사실 학계에서는 이미 오래전부터 과학기술과 불확실성이라는 주제가 제기됐고, 여러 학자들이 불확실성에는 과학도 예외가 될 수 없음을 일찍부터 지적했습니다. 그것은 현 과학의 수준 때문이 아니며, 아무리 과학이 발전해도 불확실성을 완전히 소거하기란 불가능하기 때문입니다. 결국 우리는 불확실성을 피할 수 없고, 오히려 그것을 적극적으로 받아들이는 편이 문제 해결에 도움이 될지 모르겠습니다. 그것이 오히려 튼튼하고 건강한 과학을 만들 수 있기 때문이죠.

데이터로 말하라

데이터를 가지고 과학을 한다는 것이 어떤 의미인지 생각해봅시다. 과학의 일반적인 정의는 어떤 대상을 탐구하여 좀 더 명확한 지식을 얻는 것입니다. 이를 좀 더 현실적인 관점에서 생각해보면 과학은 우리가 당면한 문제를 해결하는 수단으로서 사용됩니다. 여기서 문제는 어떤 의사결정을 내리거나, 목표 달성을 위한 방법을 찾거나, 혹은 알려지지 않은 현상을 예측하는 모델을 만드는 것 등을 모두 포함하는 것이죠.

또한 구체적인 행위로서의 과학에는 대부분 주어진 기간과 예산, 그리고 해당 프로젝트를 요청한 개인이나 조직이 있습니다. 따라서 데이터를 통한 문제해결이 효과를 거두기 위해서는 우선 주어진 기간과 예산이라는 제약조건을 준수하고, 그 결과를 고객과 성공적으로 소통할 수 있어야 합니다. 예를 들어 태풍의 진로를 예측하는 모델은 태풍이 실제로 접근하기 전에 답을 내놓지 않으면 아무 소용도 없겠죠. 기껏 내놓은 해결책이 고객의 반발에 부딪히는 경우에도 이를 효과적으로 설득할 수 있어야 합니다.

이를 종합하면 데이터 과학은 데이터에 근거하여 대상을 탐구하고, 이를 바탕으로 당면한 문제를 주어진 제약 하에서 풀어내려는 노력으로 정의할 수 있겠네요. 여기서도 중요한 점은 과학은 '문제'에서 출발하며, 데이터는 문제를 풀기 위한 수단이라는 것입니다. 또한 현실 세계의 데이터 과학 프로젝트는 주어진 제약조건 하에서 고객이 요구하는 산출물을 만들어내야 합니다. 이점을 제대로 이해하지 못하면 앞에서 지적한 대로 지나치게 많은 데이터를 가지고 씨름하는 우를 범할 수 있습니다.

〈데이터 과학의 단계〉

(1) 주어진 문제를 명확히 정의한다.

(2) 문제를 풀기 위한 데이터를 구한다.

(3) 데이터를 가공하고 분석하여 해결책을 유도한다.

(4) 해결책을 여러 가지 방식으로 구현한다.

(5) 관계자에게 결과를 적절한 형태로 소통한다.

각 단계를 간단히 짚어봅시다. 우선 (1) 문제 해결이 목표인 만큼 문제 정의에서 출발합니다. 또한, (2) 문제 해결에 적합한 데이터를 필요한 만큼 구해야 할 것입니다. 데이터가 존재하는 경우에는 기존의 데이터에서 필요한 부분을 추출하고, 그렇지 않은 경우에는 직접 수집하면 됩니다. (3) 수집 및 추출된 데이터는 대부분 적절한 가공 과정을 거쳐야 다양한 분석 작업에 사용할 수 있습니다. 가공된 데이터를 가지고 시각화 및 분석을 통해 해결책을 유도할 수 있습니다.

여기까지가 문제 정의에서 해결책을 유도하는 과정입니다. 만약 단순히 해결책을 찾는 것이 목표라면 여기서 멈출 수 있겠지만, (4) 실제로 대부분의 문제는 그 해결책을 현실 세계에서 어떤 식으로든 구현해내야 하는 것이 보통입니다. 예컨대 이메일 스팸을 극복하는 것이 목표라면, 데이터를 분석해서 스팸의 패턴을 찾아낸 후에는 실제로 작동하는 스팸 필터를 구현해서 메일 시스템에 통합해야 하는 것입니다. 그리고 기업 등의 조직 환경에서 문제를 해결하는 경우에는 (5) 문제 해결의 결과를 관계자에게 적절히 소통하는 작업도 필수적이겠죠.

물론 현실 세계의 문제를 해결하는 일이 이렇게 단순하게 이루어지지는 않습니다. 보통 문제 정의 단계서부터 다양한 이해당사자와 의견 조율을 거쳐야 하고, 데이터를 제대로 구하지 못해 목표를 수정해야 하는 경우도 비일비재합니다. 또한, 데이터를 분석하다보면 미처 고려하지 못한 사항을 발견하거나, 관련된 문제를 발견하기도 합니다. 해결책은 찾았지만 구현 및 소통 단계에서 어려움에 부딪히는 경우도 많죠. 즉, 데이터 기반의 문제해결 과정에는 다양한 난관이 존재합니다.

따라서 위에서 설명한 (1)~(5)까지의 단계는 가이드라인 정도로 생각하는 게 옳습니다. 보통은 각 단계가 몇 번은 반복되어야 다음 단계로 넘어갈 수 있기 때문입니다. 심지어는 수집 단계에서의 오류가 분석 단계에서 발견되어 다시 데이터를 모아야 하는 경우도 비일비재합니다. 하지만 이러한 불확실성은 데이터과학의 본질을 생각해보면 너무나 당연한 일입니다. 과학 자체가 기존에 뚜렷한 해결책이 없는 문제를 풀려는 노력이고, 데이터를 사용한다는 것은 모든 현상을 설명하는 이론이 존재하지 않기에 경험적 접근을 필요로 한다는 뜻이기 때문입니다. 하지만 '머니볼'의 빌리빈 단장이 데이터 기반의 선수 선발로 메이저리그를 뒤흔들었듯, 불확실성이 클수록 그에 따른 보상도 클 수 있다는 것을 유념해야합니다.

"데이터가 직접 말하게 해라."

데이터를 통해 문제를 해결하려는 사람이라면 자신의 주관이 결과물에 투영되는 것을 최소화해야 합니다. 이는 법을 집행하는 책임을 가진 판사에게 높은 도덕적 기준이 요구되는 것과 같은 이치입니다. 데이터의 힘을 빌려 문제를 해결해야 할 책임을 부여받는 데이터 과학자가 데이터의 힘을 남용한다면 훨씬 큰 피해를 끼칠 수 있기 때문입니다. 2005년에 나라 전체를 발칵 뒤집으며 학계 전체에 대한 불신을 낳은 황우석 교수 사태를 기억한다면, 데이터 조작의 유혹이 얼마나 개인과 사회에 치명적인 피해를 가져오는지 알 수 있습니다.

흔히 과학자를 생각하면 엄청나게 쌓여있는 데이터를 보고 섬광처럼 빛나는 통찰력을 발휘하여 단숨에 해결책을 찾아내는 광경을 떠올릴지도 모르겠습니다. 하지만 앞서 설명했듯 데이터 분석 및 모델링은 데이터 과학자의 업무 중 일부에 해당하며, 잘 정리된 데이터가 분석되기만을 기다리는 상황은 현업에서는 좀처럼 발생하지 않습니다.

실제로 과학자들은 약 80%의 시간을 분석을 위한 데이터를 모으고 준비하는데 사용한다고 합니다. 또한 앞서 설명했듯이 현업에서의 과학은 문제정의부터 의사소통까지의 전 과정이 끊임없이 반복되는 지난한 과정입니다. 이처럼 과학의 실상을 알고 나면 가장 중요한 자질이 '끈기'라는 생각을 하게 되네요.

과학 윤리와 책임

과학자의 외적 책임은 사회에 대한 책임입니다. 과학자는 자신의 연구 과제의 잠재적 위험성에 대해 항상 주의해야 하며, 악용함으로써 나타날 수 있는 위험성을 분명하게 경고해야 합니다. 그리고 해로운 결과가 예상되는 연구, 즉 기대되는 유용함보다 해가 더욱 많은 것으로 예상되는 연구는 마땅히 중단해야 합니다.

'과학자는 연구 결과에 대해 사회적으로 책임을 져야 하는가' 하는 문제를 둘러싸고 논쟁이 끝나지 않고 있습니다. 이를 놓고 과학자에게 도덕적인 책임을 물을 수 없다는 견해가 의외로 많습니다. 과학 기술은 그 자체를 놓고 볼 때 '좋다', '나쁘다'를 따질 수 없다는 겁니다. 같은 칼이라도 어머니 손에 쥐어지면 음식을 만드는 식칼이 되지만, 강도의 손에 쥐어지면 흉측한 살인 무기가 되기도 하니까요. 그런데 후자를 들어 칼 그 자체가 살인을 야기했다고 한다든가, 칼을 만든 사람이 도덕적으로 책임을 져야 한다고 하면 그것은 잘못이라는 것이죠. 설사 칼 제작자가 칼의 악용 가능성을 알고 있었어도, 실제로 그것을 어떻게 쓰는가는 전적으로 사용자에 달려 있다는 겁니다. 그런데 이 주장을 자세히 살펴보면, 과학은 '객관적'이며 '가치중립적'이라는 두 가지 근거에 의해 뒷받침되고 있다는 점을 발견할 수 있습니다. 이 두 문제를 집중적으로 따져볼 필요가 여기에 있는 것입니다.

첫째, 과학이 객관적이라는 말은 과학 법칙이 '보편타당한 진리'라는 의미를 내포하고 있습니다. 과학 법칙은 시대가 바뀐다고 해도 달라지지 않고, 적용 대상이 무엇이건 완벽하게 적용된다는 점에는 변함이 없다는 거죠. 따라서 보편타당한 것에 대해서는 사회적으로 좋다 나쁘다 말할 수 없다는 겁니다. 객관적인 것에 대해서는 가치 판단을 할 수 없고 그저 받아들일 수밖에 없다는 주장입니다.

하지만, 어떤 과학 법칙이 보편타당하려면 그 법칙이 적용되는 분야의 모든 현상을 하나의 예외도 없이 설명할 수 있어야 합니다. 운동에 관한 보편타당한 법칙이 있다고 하면 어떤 운동을 막론하고 모두이 법칙에 의해 설명할 수 있어야 하는 것이죠. 그러나 대부분의 과학 법칙에는 예외가 있습니다. 예를 들어, 뉴턴의 고전 역학은 처음에는 우주의 모든 운동을 설명할 수 있는 보편적인 법칙처럼 여겨졌지만, 오늘날 원자 세계에는 적용되지 않는다는 것이 드러났죠. 이처럼 과학 법칙은 보편타당하지 않기 때문에, 과학 또한 객관적이라고 할 수 없습니다.

아울러, 과학은 관찰과 관찰 결과의 해석에 주관적 요소가 개입하기 때문에, 객관적이라고 할 수 없습니다. 과학은 관찰을 통해 현실에서 객관적인 자료를 모으고 이 자료에 근거해 이론적인 가설을 세워이를 검증함으로써 지식을 확장합니다. 그런데 사람이 사물을 관찰하는 과정에는 관찰자의 주관이 반드시 개입하게 됩니다. 즉, 관찰자가 가지고 있는 사전 지식이나 가치관에 따라 동일한 대상물의 관찰결과가 달라지는 것입니다. 나아가, 관찰 결과의 해석에서도 주관적 요소가 강하게 작용합니다. 과학자는 과학의 주류 논리에 입각해 관찰 결과를 해석하려는 경향이 아주 강한데, 이를 토마스 쿤은 '패러다임'이라는 개념으로 설명하기도 했습니다.

둘째, 과학이 가치중립적이란 말은 과학 활동이 사회와 맺는 관계에서 파생되는 성질인데, 두 가지 차원에서 접근할 수 있습니다. 과학이 가치중립적이려면, 첫 번째로 그 발전 방향이 사회적 요인과 무관하게 정해지며, 사회적 요인이 개입한다고 하더라도 발전의 속도를 빠르게 하거나 늦출 수 있는 정도일 뿐이지 그 방향을 바꿀 수 없어야만 합니다. 그리고 두 번째로는 과학의 발전 결과 나타난 지식이나 그것을 응용해 나타난 기술이 사회 전체에 불편부당한 영향을 미쳐야만 합니다.

하지만 이 잣대로 비추어 보았을 때 과학 활동은 가치중립적이지 않습니다. 우선 과학의 발전 방향은 연구비가 어떻게 배분되느냐에 따라 전혀 다르게 나타날 수 있습니다.

이는 가치중립성의 두 번째 차원으로 연결되는데, 과학 연구가 내놓은 결과가 종종 사회 성원 중 일부에게만 이익을 주고 대다수 사회 성원들이나 자연 환경에 대해 파괴적인 영향을 미친다는 점을 감안할 때 연구 결과가 가치중립적이라는 관점도 받아들이기 어렵습니다. 예컨대, 처음에는 놀라운 과학의 개가로 평가되었던 프레온 가스가 지금에 와서는 오존층 파괴의 주범으로 몰리는 것만 봐도 알 수 있죠.

이처럼 과학은 객관적이지도, 가치중립적이지도 않습니다. 그런데 현대 사회에서 과학은 점점 더 중요한 위치를 차지하고 있습니다. 이 같은 점에 비추어 볼 때 과학자의 책임은 대단히 크다고 할 수 있습니다. 따라서 과학자들은 연구를 시작할 때부터 이 연구가 사회적으로 바람직한 것인가에 대해서 고민해야 하고, 과학 연구 결과가 사회에 나와서 잘못 사용될 경우에는 이를 비판하고 억제하는 일을 수행해야 합니다. 이는 과학자들이 막중한 책임을 지닌 전문가 집단으로서 마땅히 지녀야 하는 것이기도 하지만, 21세기의 거대과학(Big Science) 시스템 밑에서 세분화·전문화된 연구만을 수행함으로써 연구의 자율성을 잃어 가는 과학자 집단 자신의 소외 문제를 극복하기 위해 필요한 것이기도 합니다.

누구나 실수를 한다.

윌리엄 톰슨(William Thomson)은 열역학을 확립한 과학자로서 나중에 귀족 작위를 받아 켈빈 경으로 더 잘 알려진 인물입니다. 켈빈은 바로 절대온도*의 기호(K)를 부르는 명칭으로 남아 있기도 하

---

* 모든 분자는 −273.15℃가 되면 그 운동이 정지되며 그 이하의 온도는 존재하지 않는다. 이를 절대 영도로 하면 빙점은 273.15°K가 되며 이를 절대 온도라고 한다. 단위 기호는 K(켈빈)이며 영국인 켈빈(Kelvin)의 머리글자를 딴 것이다.

죠. 그가 저지른 실수는 지구의 나이를 잘못 판단한 것이었습니다. 그는 지구가 태초에는 아주 뜨거웠을 것이고, 그것이 식어서 지금과 같은 지구가 되었을 것이라 생각했습니다. 그런 생각에 비추어 지구의 나이를 약 1억 년 정도로 잡았던 것이죠. 이러한 그의 계산은 아주 긴 시간이 필요했던 생명의 진화에 큰 두통거리를 안겨주었습니다. 이에 대한 다윈의 고민은 그의 평전마다 등장할 정도니까요. 사실 캘빈 경의 계산은 아직 부족한 데이터에 기반 한 것이었습니다. 끝내 틀리긴 했으나 지구의 나이를 성서에 기대지 않고, 데이터에 바탕을 두고 물리적으로 계산하려 했던 노고는 높이 사야하지 않을까요.

라이너스 폴링(Linus Carl Pauling)은 화학과 평화 두 분야에서 노벨상을 받은 위대한 화학자였습니다. 그러나 그는 DNA*의 구조를 밝히는 데 있어서 삼중나선이라는 잘못된 모형을 내놓았습니다. DNA가 이중나선구조라는 것을 밝혀낸 제임스 듀이 왓슨(James Dewey Watson)과 프랜시스 크릭(Francis Harry Compton Crick)은 폴링의 실수를 듣고는 크게 고무되었다고 알려져 있죠. 삼중나선은 화학의 기본에도 맞지 않는 실수였습니다. 이 실수를 얘기하면서 폴링은 그 원인을 여러 가지로 얘기합니다. 자신의 성공에 도취했다든지, 그 프로젝트에 시간을 많이 투자하지 못했다든지 하는 것들이었죠. 폴링은 DNA 구조를 밝히는 경주에서 어쩌면 어릿광대 같은 지위를 부

---

* 디옥시리보핵산(Deoxyribo nucleic acid), 약칭 DNA는 대부분의 생명체의 유전 정보를 담고 있는 화학 물질의 일종이다.

여받았지만 자신의 실수를 금방 인정했다는 점에서 그는 여전히 위대한 과학자입니다.

마지막은 아인슈타인입니다. 아인슈타인은 일반상대성이론을 정립하면서 우주가 정상 상태일 것이라고 생각했습니다. 그러나 원래 유도한 식은 그것을 부정하는 것이었고, 그래서 부랴부랴 우주 상수를 도입했다고 알려져 있습니다. 조지 가모프(George Gamow)는 아인슈타인이 스스로 자신의 최대 실수라고 했다고 하지만, 사실 그렇게 말한 근거는 어디에도 없다고 합니다. 그러다 허블의 발견, 즉 우주가 팽창한다는 사실이 알려지고 나서는 아인슈타인 스스로 우주상수를 부정합니다. 그러나 1998년 다시 우주상수는 다시 살아나죠. 초기의 우주를 설명하기 위해서는 반드시 필요하다는 것이었습니다. 그래서 우주상수를 도입한 것도, 우주상수를 부정한 것도 모두 찬란한 실수의 역사로 남아있습니다.

이렇게 보면, 위대한 과학자들도 다들 실수하며 살았습니다. 성공에 도취해서든지, 시대적으로 무엇이 부족해서든지 어쨌든 실수를 저질렀죠. 하지만, 그 실수를 어떻게 대하고 어떻게 다루냐에 따라 다음 세대에게 자양분이 되기도 하는 것이 아닐까요.

실패를 대하는 자세

과학자의 삶은 기본적으로 매일이 실패하는 삶입니다. 하지만, 그 실패를 통해 배우는 과정이 곧 과학이고 실험이죠. 실패를 허락하였을 때, 진정한 진보가 있습니다.

2019년 4월, 이스라엘 기업이 개발한 인공위성인 베레시트가 달 착륙을 시도했습니다. 베냐민 네타냐후(Benjamin Netanyahu) 이스라엘 총리도 지상국에서 베레시트의 달 착륙 전 과정을 함께했습니다. 만약 성공했다면 세계에서 여섯 번째로 달에 깃발을 꽂은 나라가 될 수 있었기 때문입니다. 결과는 실패였습니다. 하지만 이스라엘 총리는 2년 안에 다시 시도할 것이라 말함과 동시에 "첫 번째에 성공 못 했다면 다시 도전하면 된다, 7번째 달 궤도 선회에 성공한 것만도 큰 성과다"라고 자축했습니다. 지도자의 이런 태도는 현장의 과학자들에게 큰 격려가 되었음은 두말할 필요가 없습니다. 비록 베레시트는 착륙에 실패했지만, 달 표면과 그들의 과학역사에 분명한 흔적을 남겼습니다.

테슬라의 창업주인 일론 머스크(Elon Musk)의 최종 꿈은 화성 여행이라고 합니다. 그 꿈의 달성을 위해 머스크가 설립한 우주기업 스페이스X가 화성 탐사에 사용할 로켓인 스타십(starship)은 달과 화성에 인간을 보내기 위해 개발 중인 차세대 유인 왕복선입니다. 길이 50m, 지름 9m의 중형 발사체로 150t의 탑재체를 실을 수 있다고 하죠. 2020년 스타십은 6분 42초 동안 시험 비행을 한 뒤, 땅에 착륙하는 과정에서 폭발했습니다. 역추진력을 확보하기 위해 로켓 엔진을 재점화하는 과정에서 지상에 충돌했기 때문입니다. 머스크는 이날 트위터에 올린 글에서 "착륙 지점을 향한 정확한 날개 조작과 연료 탱크 전환이 이뤄진 성공적 하강"이라며 오히려 기뻐했습니다. 머스크는 무수한 실패에도 불구하고 새로운 시도를 멈추지 않았고, 오히려 그 이후 민간 최초의 유인 우주선 크루 드래건(Crew Dragon) 발사에 성공했습니다. 게다가 2050년까지 인류를 화성으로 이주시키기 위해서 스타십을 탑승 인원 100명인 대형 우주선으로 개조 중이라는 이야기도 있습니다. 과학뿐 아니라 우리 인생에서도 시도하지 않는 사람에겐 실패도, 성공도 없습니다. 그냥 제자리에 머물 뿐이죠.

날개가 있어도 추락한다.

사람은 왜 추락할까요? 사람은 흙으로 되어 있고, 흙이 있어야 할 자리는 바닥입니다. 모든 물질은 그것이 있어야 할 자리로 돌아가려는 속성이 있습니다. 그래서 사람은 바닥으로 떨어집니다. 그렇다면 달은 왜 안 떨어지나요? 우주는 지상과 천상으로 분리됩니다. 돌이나 흙은 지상의 세계에 속합니다. 달과 같은 천상의 물체들은 지상의 것과 완전히 다른 존재입니다. 그들은 무게도 없고 색깔이나 냄새도 없으며, 그냥 일정한 속도로 지구 주위를 영원히 움직입니다. 이것이

2300년 전 고대 그리스의 철학자 아리스토텔레스가 제시한 물체의 낙하에 대한 답입니다.

　문제는 천상으로부터 시작됩니다. 해는 동쪽에서 떠 서쪽으로 지죠. 이처럼 천상의 물체들은 모두 동쪽에서 서쪽으로 일정하게 움직입니다. 하지만 여기서 벗어난 것들이 있습니다. 이들은 '행성'이라 불립니다.

　'planet'(행성)의 어원은 'planetai'(떠돌이)입니다. 이 가운데 화성은 이따금 완전히 반대 방향, 즉 서쪽에서 동쪽으로 돌기도 했으니 당시 천문학의 재앙이라 할 만했습니다. 사실 코페르니쿠스의 지동설은 행성들의 떠돌이 운동을 쉽게 설명하려는 의도에서 제안되었습니다. 하지만 지동설에는 많은 문제가 있었죠.

　우선 천동설보다 정확하지 않았다는 겁니다. 당시 천동설은 행성의 운동을 설명하기 위해 이미 상당한 개량이 이루어져 있었습니다. 지구 주위를 단순히 원운동하는 것이 아니라 원운동하는 중심 주위를 다시 이중으로 원운동한다는 손질이 가해지는 방식으로 말입니다. 이런 원들을 '주전원'이라 합니다. 지구가 움직이는데 왜 우리는 느끼지 못하느냐는 것도 쉽게 이해할 수 없었습니다. 하지만 정장 심각한 문제는 따로 있었습니다. 성경의 여호수아 10장 12절에 보면 이스라엘의 지도자 여호수아가 태양을 멈추는 장면이 나옵니다. 지구가 아니라 태양이 돌아야 가능한 내용입니다. 이것이야말로 지동설의 비극이었습니다. 중세 유럽에서 성경은 절대적 권위를 가지고 있었기 때문이겠죠. 덕분에 지동설을 지지하는 사람은 고문을 받거나 화형 당해야 했습니다.

실제로 지동설의 약점은 하나씩 보완되었습니다. 요하네스 케플러(Johannes Kepler)의 눈물겨운 계산으로 행성들의 운동궤도가 원이 아니라 타원이라는 것이 알려지자 비로소 지동설의 결과가 천동설보다 정확해지기 시작했습니다. 더구나 갈릴레이의 망원경은 지동설이 옳다는 결정적 증거들을 주었습니다. 물론 이 때문에 갈릴레오 갈릴레이(Galileo Galilei)는 종교법정에 서야 했지만, 당시 유럽은 '30년 전쟁'이라는 최악의 종교전쟁을 치르는 중이었으니 화형당하지 않은 것만도 다행이었습니다. 지동설은 아리스토텔레스(Aristotle)의 낙하 이론에 균열을 일으킵니다. 태양이 우주 중심이라면 지구는 왜 태양으로 떨어지지 않을까요? 지구도 천상의 물질이라 태양 주위를 영원히 움직이나요? 그렇다면 왜 지구상의 모든 물체는 지구의 바닥으로 떨어지는 걸까요? 화성도 지구처럼 태양 주위를 돕니다. 화성 위에서 돌을 떨어뜨리면 화성, 지구, 태양 가운데 어디로 떨어져야 할까요? 이제 돌이 왜 바닥으로 떨어지는지에 대해 새로운 이론이 필요하게 되었습니다.

지동설은 지구를 일개 행성으로 전락(轉落)시켰습니다. 이제 지구상 물체의 낙하는 우주적 운동과 분리될 수 없게 되었습니다. 아이작 뉴턴(Isaac Newton)이 등장할 차례죠. 뉴턴의 중력이론은 낙하에 대한 오랜 철학적 논쟁에 종지부를 찍습니다. 그의 아름다운 설명을 들어볼까요. 질량을 가진 '모든' 물체는 중력이라는 힘으로 서로 끌어당깁니다. 그래서 중력을 만유인력(萬有引力)이라고도 부릅니다. 사과가 (지구의) 바닥으로 떨어지는 것은 지구와 사과 사이에 중력이 작용하기 때문입니다. 물론 태양이나 화성도 사과를 당기지만 우주의 모든 물체가 사과에 작용하는 중력을 모두 더해보면 결과적으로 지구로 끌려가는 힘이 남습니다. 거리가 멀수록 중력이 작아지기 때문입니다.

그렇다면 사과는 떨어지는데 달은 왜 떨어지지 않을까요? 지구와 달 사이에도 중력이 작용합니다. 따라서 달도 지구로 떨어집니다. 어라? 달이 낙하한다고? 사과를 야구공 던지듯 수평으로 던지면 포물선을 그리며 낙하합니다. 지구가 편평하다면 사과를 아무리 세게 던져도 결국 바닥에 떨어질 겁니다. 하지만 사과가 낙하하는 거리만큼 땅바닥이 덩달아 밑으로 가라앉으면 사과는 바닥에 닿지 않을 수 있습니다. 지구는 둥글기 때문에 수평선을 보면 멀어지는 배가 아래로 사라집니다. 결국 충분히 빠른 속도로 던져진 사과는 낙하하지만 바닥에 닿지 않을 수 있습니다. 날아가며 낙하한 거리가 내려앉은 거리와 일치한다면 말이죠. 달이 낙하하지만 바닥에 닿지 않는 이유입니다.

이는 낙하에 대한 단순하고 아름답고 심오한 설명입니다. 모든 물체는 서로 끌어당기기 때문에 서로가 서로에게 낙하합니다. 지구는 태양으로 낙하하고 있지만 태양에 닿지 않습니다. 인공위성은 지구로 낙하하고 있지만 바닥에 닿지 않습니다. 태양은 우리 은하 중심의 블랙홀을 향해 낙하하고 있지만 블랙홀에 닿지 않습니다.

그렇다면 이것으로 낙하 문제는 완전히 해결된 걸까요? 뉴턴의 이론에는 이해할 수 없는 것이 두 가지 있었습니다. 우선 멀리 떨어진 두 물체 사이에 중력이 어떻게 전달되는지 알 수 없었습니다. 달은 지구가 자신을 당기는지 어떻게 아는 걸까요? 더구나 중력은 거리에 따라 달라집니다. 달은 지구로부터의 거리를 어떻게 알 수 있을까요? 두 번째 질문은 운동법칙 F=ma에 왜 질량(m)이 등장할까 하는 겁니다. 중력을 일으키는 질량이 왜 운동법칙에도 나타나야 할까요?

운동법칙의 질량과 중력의 질량은 완전히 똑같습니다. 그래서 중력을 받으며 운동하는 물체를 기술할 때, 두 개의 질량이 상쇄되어 운동방정식에서 사라집니다. 지구상의 물체가 모두 같은 속도로 낙하하는 이유죠. 이 때문에 이탈리아의 피사는 기울어진 탑을 보러 오는 사람들로 북새통을 이룹니다. 아무튼 이것이 우연일까요? 아니면 여기에 심오한 이유가 있는 것일까요?

중력이 어떻게 전달되느냐는 의문에 대한 단서는 전자기현상에서 나옵니다. 전자기라고 하면 보통 전자공학, 전기기기 등이 떠오를 것이지만 물리에서 전자기학은 '장(場)'이라는 개념을 배우는 과목입니다. 두 개의 자석은 방향에 따라 서로 당기거나 밀어냅니다. 이들은 서로의 존재를 어떻게 아는 걸까요? 사실 이 질문은 중력에서 했던 질문과 완전히 같은 것입니다. 마이클 패러데이는 눈에 보이지 않지만 자석 주변에 펼쳐진 '장'의 존재를 제안했고, 제임스 맥스웰은 패러데이의 '장'을 기술하는 방정식을 만들었습니다.

자석이 있으면 주변에 자기장이 존재합니다. 전하(電荷)가 있으면 주변에 전기장이 존재하겠죠. 전하나 자석이 움직이면 전기장, 자기장에 변화가 생기며 이 변화는 진동의 형태로 전달됩니다. 거미줄이 '장'이라고 해봅시다. 거미가 움직이면 거미줄을 타고 진동이 전달되는 것과 비슷합니다. 전자기장의 진동을 전자기파라고 부르며, 이것이 다름 아닌 '빛'입니다. 결국 멀리 떨어진 자석은 상대 자석을 직접 보는 것이 아니라 상대 자석이 공간에 만들어놓은 자기장을 보는 셈입니다.

자, 이제 이 아이디어를 중력에 적용하면 됩니다. 질량이 있으면 주변에 중력장이 존재합니다. 달은 지구를 직접 느끼는 것이 아니라 지구가 만든 중력장을 느낍니다. 질량이 움직이면 중력에 변화가 생기며 이 변화는 중력장의 진동으로 전달될 것입니다. 그 진동의 이름은 '중력파'입니다.

2017년 노벨 물리학상은 중력파를 실제로 관측한 과학자들에게 수여됐습니다. 중력파란 정확히 무엇이 진동하는 걸까요? 이에 대한 답을 얻으려면 앞서 이야기한 두 번째 질문을 생각해야 합니다. 뉴턴의 운동법칙 $F=ma$에는 세 개의 알파벳이 등장한다. 힘(F), 질량(m), 가속도(a)이죠. 뉴턴에 따르면 이 수식은 왼쪽에서 오른쪽 방향으로 해석됩니다. 물체에 힘(F)을 가하면 가속(a)됩니다. 즉, 속도가 바뀐다는 말입니다. 같은 힘에 대해 질량(m)이 클수록 가속은 작아집니다. 문제는 왜 질량이 여기 있느냐는 것이죠.

 지하철이 설 때 몸은 앞으로 쏠립니다. 정지해 있던 몸이 앞으로 쏠린다는 것은 움직이기 시작했다는 말이니 가속되었다는 뜻입니다. 하지만 중력이나 전자기력같이 나를 앞으로 미는 힘은 없습니다. 그렇다면 이 가속의 정체는 무엇일까요? 내가 탄 지하철의 속도가 줄어들면 나의 속도도 줄어듭니다. 그렇지 않으면 결국 지하철은 멈추고 나는 계속 달려서 지하철의 통로문에 부딪치게 될 것이니까요. 여기까지는 좋습니다. 그런데 내 입장에서 생각해봅시다.

 나는 문명의 오지에서 온 사람이라 지하철이 뭔지 모릅니다. 더구나 지하철의 승차감이 훌륭해 달릴 때는 움직이는 느낌조차 없습니다. 나는 오지의 사람이지만 뉴턴의 운동법칙은 압니다. 그렇다면 지하철이 설 때, 내가 느끼는 속도의 변화는 외부의 힘에 의한 것이라 생각할 수밖에 없습니다. 하지만 여기에 힘은 없고 단지 지하철이 정지하고 있을 뿐입니다. 이제 아인슈타인이 등장할 차례입니다.

 가속되는 사람은 (존재하지도 않는) 힘을 느낍니다. 뉴턴의 운동법칙 F=ma를 앞서와 달리 오른쪽에서 왼쪽으로 가며 해석해봅시다. 그 사람이 느끼는 가속도에 질량을 곱하여 힘을 얻습니다. 결국 이 힘은 질량이 만드는 것처럼 보입니다. 질량이 만드는 힘은 중력이구요. 결국 운동법칙에 질량이 등장하는 이유는 가속되는 사람이 느끼는 힘이 중력과 같기 때문입니다. 아인슈타인은 이것을 '등가원리'라고 불렸습니다. 가속과 중력을 구별할 수 없다는 것입니다.

이제 아인슈타인의 특수상대성이론이 필요합니다. 특수상대성 이론에 의하면 움직이는 사람은 길이가 짧아지고 시계가 느리게 갑니다. 정지한 사람과 움직이는 사람의 시간과 공간이 다르다는 말입니다. 멈추는 지하철을 다시 생각해봅시다. 지하철이 멈추는 동안 나의 속도도 점점 줄어듭니다. 그러면 나의 시간과 공간도 점점 짧아지고 길어질 것입니다. 가속되는 동안 시공간에 변형이 생긴다는 말입니다. 등가원리에 따르면 가속은 중력과 구별되지 않습니다. 결국 중력은 시간과 공간을 변형시킵니다. 중력파는 시공간이 변형되며 만들어내는 진동입니다.

〈전락〉의 클라망스는 추락하는 여인을 보고 전락합니다. 물체가 왜 추락하는지는 문명 역사만큼이나 오래된 의문이었습니다. 아리스토텔레스는 추락에서 물질 본성을 보았고, 뉴턴은 두 물체 사이에 작용하는 힘을 보았으며, 아인슈타인은 시공간의 변형을 보았습니다. 인간이 추락의 본질을 이해하거나 말거나, 오늘도 날개가 있는 것들이 추락합니다. 날개가 없는 것들은 말할 것도 없죠. 추락하는 것은 다만 질량이 있습니다.

이카루스의 추락
그림출처: 벨기에 왕립 미술관

세상은 왜 존재하는가

세상은 왜 존재할까요? 존재하지 않는 것에는 이유가 필요 없습니다. 하지만 무엇인가 존재한다면 왜 그것이 있어야 하는지 설명이 필요합니다. 300년 전 고트프리트 라이프니츠(Gottfried Leibniz)는 아무것도 없는 것이 무언가 있는 것보다 자연스럽다고 생각했습니다. 그리고 결국 그는 존재의 이유를 창조자에서 찾으려고 합니다. 물론 세상이 무(無)라고 해도 설명이 필요하다고 주장할 수도 있겠습니다만 아무것도 없다면 그런 질문을 할 주체, 아니 질문 자체도 존재하지 못할 것이 아닐까요? 우주의 신비를 탐구하는 물리학자라면 세상이 왜 존재하는지 답할 수 있을까요?

많은 사람들이 '우주'라고 하면 어두운 밤하늘에 촘촘히 박힌 별들을 떠올립니다. 하지만 우주는 존재하는 이 세상의 전부입니다. 공기, 물, 강아지는 말할 것도 없고, 이 글을 읽는 독자 여러분도 우주의 일부입니다. 이러한 우주는 실제로 시공간과 물질이라는 두 부분으로 구성됩니다. 거칠게 말해서 시공간은 무대, 물질은 배우라고 할 수도 있습니다. 따라서 우주는 시공간이라는 무대 위에서, 자연법칙이라는 대본에 따라, 물질이라는 배우가 연기하는 연극인 것입니다.

우리는 누가 왜 연극을 제작했는지, 아니 왜 우주가 존재하는지 알지 못합니다. 하지만 우주가 항상 존재하고 있었는지, 아니면 어느 순간부터 존재하기 시작했는지는 알고 있습니다. 임마누엘 칸트

(Immanuel Kant)는 저서 〈순수이성비판〉에서 우주에 시작점이 있는지 없는지는 모두 정당화될 수 있어 이율배반이라고 하기도 했습니다. 즉, 이런 질문은 이성으로 답을 알 수 없다는 말입니다. 하지만 알버트 아인슈타인(Albert Einstein)의 상대성이론은 우주의 시작점에 대한 질문을 과학적 탐구 대상으로 만들었습니다. 상대성이론에서의 시공간은 앞서 말한 연극 무대와 같이 고정된 것이 아니라 살아 움직이는 배우와 같습니다. 배우의 특성이나 움직임에 따라 무대의 구조가 매 순간 함께 바뀌기 때문입니다. 따라서 상대성이론에서의 시공간은 물질과 마찬가지로 기술되어야 할 하나의 대상에 불과합니다. 그렇다면 이제 시공간의 변화, 나아가 시공간의 시작과 끝을 묻는 것이 가능해지죠. 1920년대 조르주 르메르트(Georges Lemaitre)는 상대성이론에서 우주가 팽창하고 있다는 수학적 가능성을 찾습니다. 우주가 팽창한다는 말은 시간을 거꾸로 돌려보면 한 점에서 출발했다는 뜻이니, 우주에 시작점이 있다는 겁니다. 이게 바로 우리가 흔히 들어본 빅뱅이론입니다.

빅뱅이론이 처음 소개되었을 때, 물리학자들은 그 이론을 별로 좋아하지 않았다는 것을 언급해두어야겠습니다. 우주에 시작이 있다는 사실이 바로 기독교의 창조론을 닮았기 때문입니다. 실제 1950년대 기독교계에서는 빅뱅이론이 창조론과 모순되지 않으며, 나아가 그 증거라는 주장도 있었습니다. 아인슈타인의 경우 상대성이론이 팽창우주의 가능성을 보인다는 사실을 알고, 자신의 방정식에 '우주상

수'라는 것을 억지로 집어넣어 우주의 팽창을 막기도 했습니다. 훗날 자신이 저지른 최악의 실수라고 했지만 말입니다. 사실 스티븐 호킹(Stephen Hawking)의 중요한 업적 중 하나가 블랙홀과 빅뱅 같은 특이점이 실제로 존재할 수 있다는 것을 보였다는 것입니다.

사실 빅뱅이론은 과학입니다. 물질적 증거가 있다는 말입니다. 아인슈타인이 자신의 권위로 방정식에 상수를 써넣을 수는 있지만, 과학에서의 옳고 그름은 권위가 아니라 실험적 증거로 결정됩니다. 빅뱅의 첫 번째 증거는 현재 우주가 팽창하고 있다는 천문학적 관측 결과입니다. 현재 팽창하고 있어도 과거에는 아닐 수 있지 않을까요? 빛은 유한한 속력을 갖습니다. 그래서 먼 곳에서 온 빛은 오래전에 출발한 것입니다. 오늘 당신에게 각각 부산, 베이징, 파리에서 떠난 소포들이 동시에 도착했다고 합시다. 부산에서 온 것은 오늘 오전, 베이징은 이틀 전, 파리는 5일 전에 출발한 것이겠죠. 내가 보는 별빛도 마찬가지입니다. 어떤 것은 1년, 어떤 것은 100만년, 또 다른 것은 100억 년 전에 출발한 것들이란 말입니다. 멀리서 온 것일수록 더 먼 과거의 모습을 가지고 있습니다. 신기한 일이지만, 이렇게 우리는 과거의 우주를 현재에서 볼 수 있습니다.

빅뱅이론은 시공간이 어떻게 존재하게 되었는지 설명합니다. 하지만, 왜 물질이 존재하는지는 여전히 미스터리입니다. 빅뱅의 순간 우주는 엄청난 에너지로 가득했습니다. 이 에너지는 빈 공간에서 물질을 만들어 낼 만큼 컸습니다. 쌍생성*이라 불리는 현상인데, 이 과정에서 물질은 언제나 반물질과 함께 동시에 태어납니다. 마치 은행에서 100만원을 대출하고 -100만원이 들어 있는 마이너스통장을 만드는 것과 비슷하죠. 우주에는 끊임없이 100만원의 돈과 -100만원의 마이너스통장이 만들어졌다가 이 둘이 만나 동시에 사라지는 일이 반복됩니다. 우주가 팽창함에 따라 에너지의 밀도는 낮아지고, 결국 쌍생성할 수 있는 에너지 이하가 되면 우주에는 오직 빛만 가득하고 물질은 없는 세상이 됩니다. 하지만, 아시다시피 세상에는 물질이 존재합니다. 왜일까요?

아직 정확한 답은 모르지만 쌍생성으로 만들어진 물질, 반물질의 양이 미세하게 달라야 한다는 것은 분명합니다. 물질이 반물질보다 10억분의 1 정도 많이 생성되어야 합니다. 이보다 너무 크거나 작다면 우리 우주는 지금의 모습을 가질 수 없습니다. 10억분의 1이라면 서울, 부산 거리를 밀리미터 정확도로 측정하는 겁니다. 아무튼 세상의 물질은 알 수 없는 비대칭에서 생겨났습니다. 적절한 크기의 삐딱함이 세상을 만든 것이죠.

빅뱅이 왜 그렇게 중요한지 묻는 분들이 있습니다. 물리학자에게 역사란 초기 조건과 법칙을 알면 정해지는 이야기입니다. 작가 토머스 스턴스 엘리엇(Thomas Stearns Eliot)은 "우리의 탐험이 끝나는 때는 우리가 시작한 장소가 어디인지 알아내는 순간"이라고 종종 말

---

* 기본입자(주로 전자나 그 외의 보손입자)와 그의 반입자가 생성되는 것을 말한다.

했다고 합니다. 공을 던질 때, 위치와 속도가 정해지면 공이 날아갈 궤도와 떨어질 지점이 정해진 것과 비슷합니다. 물론 큰 규모에서 대강의 역사만을 알 수 있습니다. 카오스이론과 양자역학은 역사의 디테일을 모조리 예측하는 것이 불가능하다고 말해줍니다. 우리가 현재 가진 물리법칙은 빅뱅이라는 초기 조건으로부터 우주의 역사에 대해 다음과 같은 이야기를 들려줍니다.

빅뱅 이후 38만년이 지나자 원자와 빛이 생겨났습니다. 우주는 계속 팽창하는 가운데 원자들이 서로 중력으로 당기기 시작했습니다. 원자들이 충분히 모여 거대한 덩어리를 형성하면 이제 그 중심은 엄청난 압력과 온도에 도달합니다. 짓눌린 원자들이 원자핵과 전자로 찢기고, 원자핵이 하나로 합쳐지며 핵융합 반응이 시작됩니다. 별의 탄생이죠. 지금도 태양의 내부에서 벌어지는 일입니다. 초기의 원자들은 주로 수소와 헬륨이었습니다. 사실 우주의 초기에 원자라고는 이게 거의 전부입니다. 지금도 크게 다르지 않구요. 별 내부에서 일어나는 핵융합 반응은 수소와 헬륨 같은 가벼운 원자들을 융합시켜 점점 더 크고 무거운 원자들을 만들기 시작합니다. 아주 무거운 원자들은 별이 초신성으로 폭발할 때 만들어집니다.

이렇게 만들어진 별들은 모여서 은하를 이룹니다. 우리 은하는 태양과 같은 별을 1000억 개나 가진 거대한 별 집단입니다. 은하를 이루는 별들은 지구가 태양 주위를 돌 듯 은하 중심 주위를 돕니다. 뉴턴의 중력법칙에 따르면 은하 중심에서 멀어질수록 별의 회전속도는 작아져야 합니다. 하지만 실제 관측해보니 속도가 거의 변하지 않았습니다. 감히 뉴턴의 중력이론이 틀렸다고 주장할 사람은 없기 때문에, 아직 우리가 모르는 무언가가 있다고 과학자들이 합의한 상태입니다. 즉 별의 속도를 예상보다 빠르게 만들어주는 추가적인 물질이 은하의 내부에 숨어 있다는 겁니다. 이들이 눈에 보였다면 이런 문제는 애초 생기지도 않았을 겁니다. 그래서 눈에 보이지는 않지만 존재해야만 하는 이것을 '암흑물질*'이라 부릅니다. 안타까운 일이지만 우주에는 정체를 알 수 없는 암흑물질의 총량이 우리가 아는 물질 총량의 5배가 넘습니다.

별이 되지 못한 입자들은 별 주위를 떠돌기도 합니다. 여기에는 우주공간을 떠돌던 원자들이 모인 먼지도 포함됩니다. 이들이 모여 지구와 같은 행성이 됩니다. 지구 표면에 있는 일부 원자들이 모여 자신의 원자구조를 유지하고, 나아가 복제하는 경향을 가지게 되었습니다. 생명의 탄생이죠. 생명은 진화를 거듭하여 호모사피엔스에 이르렀고, 호모사피엔스는 이제 우주가 왜 존재하는지 묻고 있습니다.

세상은 왜 존재할까요? 이 질문에 대한 답의 단서는 빅뱅이 일어나는 순간에 있을 겁니다. 현대물리학은 빅뱅 이후 1000억분의 1초 지난 다음부터 적용할 수 있습니다. 그 이전의 엄청나게 짧은 시간 동안을 기술할 수 있는 물리이론은 아직 없습니다. 물리학의 성배나 다름없는 통일장이론 혹은 양자중력이론이 나온다면 1000억×1000억×

---

* 우주 물질의 약 85%를 차지하는 것으로 생각되는 물질의 가설상의 형태이다.

1000억분의 1초까지 빅뱅에 근접하여 우주를 기술할 수 있게 됩니다. 이 찰나와도 같은 시간 속에서 우리는 우주 존재의 이유를 찾아낼 수 있을까요? 다음은 스티븐 호킹(Stephen Hawking)이 쓴 〈시간의 역사〉의 마지막 문장입니다.

"만약 우리가 우주가 왜 존재하는가에 대한 답을 발견한다면 그것은 인간 이성의 최종적인 승리가 될 것이다. 그때에야 비로소 우리는 신의 마음을 알게 될 것이기 때문이다."

빅뱅
그림출처: 천문우주지식정보

"그럼에도 불구하고", 제가 은연중에 참 자주 쓰는 숙어입니다.

선배들은 한때 제가 말하는 게 꼭 영어문장에 있는 although나 even though를 번역하는 것 같다고도 했었습니다. 그만큼 익숙하기는 하나, 한국인들이 말할 때는 굳이 선택하지 않는 단어란 뜻이겠죠.

요즘의 저는 학생들을 대상으로 물리를 가르치고 있습니다. 초급물리반 수업과 고급물리반 수업은 같은 내용을 가르쳐도 분위기가 다른데, 고급반은 대부분의 시간이 '내가 알려줘야 하는 내용'으로 이루어지는 반면 초급반은 '학생들의 질문에 대한 답'으로 모든 수업시간이 쓰입니다. 저에게 장난을 걸기 위한 억지 질문도 있지만, 솔직히 억지 질문을 포함한 모든 질문들이 다 유용합니다.

「사람은 왜 높은 곳에서 떨어지나요?-〉 지구중력 때문이야-〉 지구중력은 왜 있나요?-〉 지구가 질량이 크기 때문이야-〉 지구는 왜 생겼나요-〉 빅뱅때문이야-〉 빅뱅은 왜 생겼나요?-〉.......」

얼핏 보면 위 과정은 매우 억지스럽습니다만 실은 중요한 핵심을 파고드는 중입니다.

그리고 어제는 수업시간의 약 20분 이상을 핵분열에 대한 질문에 답하느라 보냈네요. 복습문제에 '화학변화와 물리변화에 대해 예를 들어 설명해보세요' 가 있었는데, 한명이 질문하길 사람이 죽는 건 물리변화인지 화학변화인지 묻더라구요. 방금 막 죽은 사람은 물리변화한거고, 시간이 지나면 그냥 썩은 고기로 화학변화하는 거라 대답했습니다. 그러자 학생들이 난리가 났습니다.

"총에 맞아 죽은건요? 폭탄이 터져 죽은건요? 톱에 갈려죽은건요?"

다 물리변화라고 알려주고 있는 찰나, 다른 한명이 "핵폭탄에 맞은 거면요?" 라고 질문했습니다.

앗, 그건 화학변화입니다.

마침 수업일이 마리퀴리의 생일이기도 해서 핵폭탄과 핵분열에 대한 이야기들을 들려주었네요. 자신의 연구로 인해서 스스로가 망가졌고, 고인이 된 지금도 시신에선 핵분열로 인한 방사선이 나오는 상황이라는 부연설명도 덧붙였습니다.

그러자 학생들이 왜 그것도 몰랐을까, 왜 그런 연구를 했을까 묻더라구요.

그래서 저는 그럼에도 불구하고 그 일을 하는 것이 인간이라고 했습니다. 위험한 걸 무릅쓰고도 궁금증을 풀고 싶은 것, 무엇인지 모르는 두려움을 이기고 미지의 상자를 여는 것, 아플 걸 알지만 그럼에도 불구하고 사랑을 하는 것, 그게 인간의 본성이니까요.

마이컬슨이라는 과학자는 자기가 말한게 틀렸는데, 그 사람은 똑똑한건지 안똑똑한건지 물어본 학생도 있었습니다.

우린 다 틀리면서 삽니다.

오늘은 맞았던 게 내일은 틀릴 수도 있고, 오늘은 틀렸던 게 내일 맞을 수도 있죠.

내가 지금 배우고 공부하는 게 먼 훗날 틀렸다고 판명날 수도 있지만, 그럼에도 불구하고 공부하고, 그것을 바탕으로 새로운 세계를 꿈꾸는 게 제대로 된 자세 아닐까요. 그러니 마이컬슨은 아주 똑똑했던 과학자입니다.

저는 아주 유한한 존재이지만, 그럼에도 불구하고 무한함을 꿈꿉니다. 여러분도 그러하길.

참고문헌

1) 임경순, 과학 기술과 예술의 만남, 한국과학사학회지 제33권 제1호, 2011

2) 천재성의 비밀, 과학과 예술에서의 이미지와 천재성, 아서 밀러, 사인언스북스, 2001

3) Lorraine Daston & Peter Galison, Objectivity, Zone Book, New York, 2007

4) 하늘과 바람과 별과 인간, 김상욱, 바다출판사, 2023

5) 떨림과 울림, 김상욱, 동아시아, 2018

6) 수학의 힘, 올리버 존슨, 더퀘스트, 2024

7) 직장으로 간 뇌과학자, 존 메디나, 프런티어, 2024

8) 똑똑한 사람은 어떻게 생각하고 질문하는가, 이시한, 북플레저, 2024

9) 양자컴퓨터의 미래, 박병철, 김영사, 2023

10) 시간은 흐르지 않는다, 카를로 로벨리, 쌤앤파커스, 2019

11) 김상욱의 양자 공부, 김상욱, 사이언스북스, 2017

12) 파인만의 여섯가지 물리 이야기, 리처드 필립 파인만, 승산, 2003

13) 초공간, 미치오 카쿠, 김영사, 2018

14) 모든 순간의 물리학, 카를로 로벨리, 쌤앤파커스, 2016

15) 파인만 씨 농담도 잘하시네1, 리처드 필립 파인만, 사이언스북스, 2000

16) 파인만 씨 농담도 잘하시네2, 리처드 필립 파인만, 사이언스북스, 2000

17) 법칙, 원리, 공식을 쉽게 정리한 물리·화학 사전, 와쿠이 사다미, 그린북, 2017

18) 자신의 존재에 대해 사과하지 말 것, 카밀라 팡, 푸른숲, 2023

19) 물리 오디세이, 이진오, 한길사, 2016

20) 어떻게 물리학을 사랑하지 않을 수 있을까?, 짐 알칼릴리, 윌북, 2022

21) 물리의 정석 : 고전 역학 편, 레너드 서스킨드, 사이언스북스, 2017

22) 마법에서 과학으로;자석과 스핀트로닉스, 김갑진, 이음, 2021

23) 그래비티 익스프레스, 조진호, 위즈덤하우스, 2018

24) 나우:시간의 물리학, 리처드 A 뮬러, 바다출판사, 2023

25) 다세계, 숀 캐럴, 프시케의숲, 2021

26) 파인만의 또 다른 물리이야기, 리처드 필립 파인만, 승산, 2003

27) 세상을 보는 방식을 획기적으로 바꾼 10명의 물리학자, 로드리 에번스, 푸른지식, 2016

28) 사이언스 조크, 고타니 다로, 니노, 2020

29) 맥스웰의 도깨비, 쓰즈키 다쿠지, 전파과학사, 2018

30) 찻잔 속 물리학, 헬렌 체르스키, 북라이프, 2018

31) 물리요?, 이주열, 사람의무늬, 2022

32) 상대성 이론과 상식의 세계, 헤르만 본디, 전파과학사, 2022

33) 비주얼 물리, 조성구, 다성출판사, 2001

34) 물리 속의 물리, 에드워드 텔러, 전파과학사, 1994

35) 영재들의 물리노트1, 도쿄물리서클, 이치, 2008

36) 영재들의 물리노트2, 도쿄물리서클, 이치, 2008

37) 물리로 이루어진 세상, 안수연, 에코리브르, 2008

40) 헤우레카 손에 잡히는 물리, 요네자와 후미코, 다른세상, 2008

41) 카오스, 제임스 글릭, 동아시아, 2013

42) 시인을 위한 양자물리학, 리언 레더먼, 승산, 2013

43) 이것이 힉스다, 리사 랜들, 사이언스북스, 2013

44) 물리와 철학, 베르너 카를 하이젠베르크, 서커스출판상회, 2018

45) 스티븐 호킹의 블랙홀, 스티븐 호킹, 동아시아, 2018

46) 너무 재밌어서 잠 못 드는 물리 이야기, 션 코널리, 생각의길, 2018

47) 물리의 물리, 최태군, 형지사, 2018

48) 앤드 오브 타임, 브라이언 그린, 와이즈베리, 2021

49) 봄의 창의성, 데이비드 봄, ㈜박영사, 2021

50) 수학의 함정, 자비네 호젠펠더, 해나무, 2020

51) 일어날 일은 일어난다, 박권, 동아시아, 2021

52) 타임 이펙트, 구가 가쓰토시, 올댓북스, 2021

53) 파동의 법칙, 임성민, 봄꽃여름숲가을열매겨울뿌리, 2021

54) 초딩 인생 처음 물리, 리용러, 의미와재미, 2021

55) 인류지식의 대혁명, 최태군, 청목출판사, 2021

물리라는 안경, 그래서 보이는 것들

발행 2024년 07월 07일
지은이 제갈은성
디자인 조미진
펴낸이 정원우
펴낸곳 글ego
출판등록 2019.06.21 (제2019-000227호)
주소 서울시 강남구 강남대로 118길 24 3층
이메일 writing4ego@gmail.com
홈페이지 http://egowriting.com
인스타그램 @egowriting

ISBN 979-11-6666-511-0